反逆の英文法

田中　潤

東京図書出版

はじめに

この本を手にして、読む人はラッキーです。

なぜなら、この本は今まで英語について、納得のいかなかった多くの疑問を解決できる本だからです。例えば、be 動詞の現在形は am, are, is の３つなのに、過去形になると was, were の２つになってしまう事。３人称現在形の動詞には、どうして語尾に s がつくのかとか。

私が小学６年生の頃の話をします。当時、私の父は、高校の教師でした。私が中学に入学する１週間ほど前に父が言いました。

「英語を今から教えるぞ」

父は英語のテキストを買って用意していました。

私は何だかすごくうれしくなり、ぞくぞくしたのを覚えています。

そして、最初に教えてくれた英文が、

This is a book.

でした。

父はこの英文を訳してくれました。

「これは、です、１冊の本」

私は、おかしな文章だなと思って父に聞きました。

「どうして、英語は『です』を先に言うの？」

すると、父が言いました。

「英語はそういうものだ、そうやって覚えろ」

父が言った言葉を、いまだに覚えています。

あれから、40年以上が過ぎました。

私も人並みに結婚し、娘が生まれ、父親になりました。そして、この娘が中学になった時、小学生の自分が抱いた疑問を同じように私に聞いてくるかもしれない。その時に、自分の父親のように、「英語はそういうものだから、そうやって覚えろ」と言って終わらせるのか、それとも、ちゃんと理由を話して、説明するのか。

いや、「そうやって覚えろ」とは言いたくない。では、どうするか、しょうがない、自分で答えを見つけるかという事で、私の英語の探求は始まりました。結果的には、娘はそんな質問はしなかったのですが。

私たち日本人は、中学の時から英語を学び、国民の大多数が英語を学んでいます。

もちろん、私も、中学、高校と人並みに、同じ道を歩みました。そして、前述のような疑問を持って、そのまま大学生になり、社会人になりました。

結局、小学生の時に生じた疑問は、誰も教えてくれず、今日に至っています。たぶん、当時、私が感じた疑問は、今の高校生、大学生も同じように疑問を持ち、うやむやのまま、社会人となっていくのでしょう。しかし、それはあまりにも悲しい事なので、今回思い切って、自分が論理的に考え、答えが出せるものは、みんなに提供し、みんなの疑問を解消するきっかけになればと思い、出版を決めました。

実際、あなたはこんな疑問を持った事はありませんか。

1　日本語は、相手を表す言葉に、お前とか、あんたとか、貴様とかいろいろあるが、英語は you しかないのは、どうしてか。
2　英語は book に a をつけないと絶対だめなのか。a をつけなくても、物を見れば、本であるか本でないか、わかるのではないか。
3　どうして、仮定法の場合、主語が I にもかかわらず、be 動詞は were になるのか。

みなさんはそんな疑問が生じた時に、学校の先生に聞こうと思いましたか。仮に、学校の先生も聞いてもわからないでしょう。なぜなら、先生も理由を教わっていないのだから。誰に聞いてもわからないし、もちろん、ネット上にも答えはない。

ちなみに、この本には、本屋で売っている英文法の話は出てきません。多くの人が間違って覚えているものを取り上げ、詳細に説明し、みなさんの理解を助けるために書いています。中には、極端な事を書いて、それは違うだろというのもあるかもしれません。しかし、これなら納得できたというものが、ひとつでもあれば書いた甲斐があります。

主語が I の時、be 動詞は am になるという話は、今、あなたが持っている英文法の本を読んで下さい。中学の時に学んだと思いますが、be 動詞の現在形は am, are, is の３個なのに、過去形になると was, were の２個になります。この本は、どうしてそうなるかを説明した本です。この be 動詞に関する疑問ですが、私もどうしてかをいろいろ調べました。ある本では、古い英語の文法では be 動詞も I, you, he, she, they と同じ数だけあったと説明されています。しかし、今さら、英語の古文を出されても理解できないし、現代の私たちには、むしろ迷惑な話です。

英語は学問ではなく、単なる意思疎通の手段です。

外国に行って、そこで生活し、毎日人と話をしていれば、話せるようになるのかもしれません。しかし、ほとんどの人はそういう事はできません。では、どうすれば、最も手っ取り早くマスターできるか。

それは、基本例文を覚え、単語の置き換えが自由にでき、動詞の活用を自由自在に使いこなせるようになること。これしかありません。

そして、マスターする過程において、どうしてかという疑問を解消していた方が、ゴールに近いです。熟語をやみくもに覚えるより、理解して、それを反復する。ただ単純に丸暗記するよりも、本質的な意味を理解して何度も繰り返し、体に染み込ませる。これは絶対に正しいやり方だと信じています。

英語にかぎらず、どんな言語でも、基本例文を丸暗記して、動詞や形容詞、名詞の活用を何度も繰り返して覚える。幼児が言葉を覚え始めた頃、「遊園地、行く」、「ママと行けば」、「早く行こう」と何度も繰り返して「行く」の活用を覚えた、この方法しかありません。

そのためには、単語の本質的な意味を理解し、助動詞を使って正確に自分の意志を伝えられるようになることが重要です。

しかし、現実の英語の教え方は、willの用法には5個ありますとか言って、未来、意志、推量とかたくさん用法を並べて、生徒を混乱させ、やる気をなくさせています。

どうして、冒頭にこういう事を書いているか。

それは、読む人に最初からゴールに立ってもらいたいからです。英語攻略のための道筋を紹介する本を読んでもゴールには永久にたどり着けません。外国人と話す時、その状況で、最も合致している表現をする。つまり、動詞、助動詞を活用させて、最もふさわしい表現をする。

これは動詞の本質的な意味、助動詞の用法がわかっていないとできません。人によっては、英語を20年学んで、一度もmightという単語を使わないで、終わる人もいるでしょう。それはmightがいかなる用法で使われるか、わかっていないからです。わからなければ、その人は絶対にその単語を使えません。この本は英語で使用可能な25個の動詞活用を説明し、あなたがその状況で、最もふさわしい表現ができる事を目指します。

基本例文を暗記し、単語を変えて置き換えができ、25個の動詞活用も状況にあわせて自由に使える。そうなることがこの本の目的です。細かい英文法は書店に並んでいる英文法の本を見て下さい。または、学生時代にあなたが使っていた参考書を使用して下さい。この本には、みなさんが理解していると思われる範囲の話は出ません。みなさんが理解していない、または誤って理解しているだろうという範囲を説明しています。

この本の基本例文を朝、暗唱し、夕方、単語を変えて話す。次の日も同じことを繰り返します。例文は70個なので、絶対に覚えられます。覚えやすいように、物語風にしてあります。世の中には、腐るほど英語の本は出ています。どの本もそれなりに役に立つと思います。しかし、英語は相手とコミュニケーションするツールですから、そのツールを覚えて使いこなせないと意味がありません。読んで終わりの本なら、ツールとして利用できないし、時間の無駄です。基本例文は70個しかありませんがすべて基本的構文が含まれています。これがすべて使いこなせれば、話すのに不自由はありません。基本例文の置き換え用の例文も、５種類用意しています。

そして25個の動詞活用を自由に使えれば、ゴールです。冒頭で、今、あなたにゴールを提示しました。

難しい事を難しいまま、説明する人がいます。会社でも、学校でもいます。それは決して良い事ではありません。難しい事を簡単に説明する事は、大変価値のある事です。難しくない事を、あたかも難しいように説明して、偉そうにして、なおかつ、お金を儲けるのは、一種の詐欺です。

英語は非常に論理的で、そして、人に優しい言語です。

この本の目的は単語の本質的な意味を理解し、助動詞の活用を理解し、本当の意味での意思疎通を目指す事です。日本語と同じような考え方をしている部分には、特に触れていません。あくまで、日本人がこの英語の意味がよくわからないという所、具体的には、前置詞の of や、接続詞の as です。

あなたが最後まで読んで、納得できた、その通りだと思ったら、他の人にも教えてあげて下さい。またはこの本をプレゼントし、読むよう勧めて下さい。

この本が、すでに英語を勉強している人や、今まさに勉強しようとする人の何かの役に立てば幸いです。

目次

chapter 1

第1章　言　語

1．言語はどうしてあるのか

最初に、英語以前の話をします。言語はどうしてあるのか。どうしてそんな事を聞くのか、伝えたい事があるからだよ、そんなの当たり前だと思うかもしれません。

そうでしょうか、日本語は伝えたい事を一番に考えて作られていません。あるいは伝えるために作られてはいないと言うべきかもしれません。

言語には、それを使う人々の個性が反映されます。いや、人々の個性が言語を作るのです。これはあくまで私の考えですが、日本語は言葉を発する前に、聞き手と自分との距離、つまり身分関係を明らかにしないと言葉を発することができません。

例えば、自分が働いている会社で、会社の社長があなたの目の前で転んだとします。あなたはこう言います。

「男が転んでいる」

すると、あなたはみんなから失礼な言い方をするなと、おこられます。しかし、「男が転んでいる」という発言はどこもおかしな所がないはずです。こういった場合、転んだ人が自分とどのような関係にあるかを認識した上で言葉を発せられないといけません。つまり、日本語は言葉を発する前に相手と自分との身分関係をはっきりさせないと使えない言語なのです。

違う例です。テレビのお笑い芸人が、他のお笑い芸人に話が及ぶ時、「あいつは同期で、芸歴何年です」と、話したりします。すると、突然タメ口になり、話が始まります。

そういう私たちも、他人に「年はおいくつですか」と聞いて、自分より年下だったら、「〜君よ、頑張り給え」みたいな上からの口調になったりします。

この一連の作業は、自分と相手との上下関係を明らかにするためです。そして、自分より芸歴が長い、年齢が上だと敬語になり、短かったり、若かったりするとタメ口になります。この現象は日本語の特性、いや、日本人の特質を表しているのかもしれません。

その点、英語はその人との関係を問わず、敬称を使わず、その人をその人の名前で指します。

結局、日本語は、伝えたい事のために存在する言語ではありません。まずは、相手との身分関係を明らかにする事を前提として、日本語は成立しています。言い換えれば、日本語は相手との身分関係を明らかにするためにあります。

2. 英語はどんな言語か

英語は日本語と違って「伝えたい事を相手に伝えるため」の言語です。これが、英語の根本原則です。そして、この目的のために３つの基本原則を作りました。

基本原則の説明の前に、「伝えたい事」について、説明します。「伝えたい事」とは、人間の世界で起こりうるすべての事柄です。自然現象から人の行動、感情からすべてです。これを「事象」とします。

３つの基本原則を説明します。

１番目の基本原則は相手が理解しやすい状態を作ってやる事です。そのために「相手に予備知識を与え、理解を助ける事」です。

２番目の基本原則は「自分の伝えたい事を最初に言う」。相手に自分の話の冒頭部分で理解してもらうため、伝えたい事を最初に持ってくる。

３番目の基本原則は「同じ変化であれば、同じ意味を表す」。

この３つが英語の基本原則です。

１番目の原則についてもう少し説明します。

人と会話をする時、話し手は伝えたい事象について、聞き手が予備知識を持っているか、あるいは持っていないかを最初に考えます。英語は人に何かを「伝える」ための言語ですから、できる限り、相手が理解しやすい状況を作ろうとします。そのため、最初に相手にあなたに関連する情報です、または、あなたには関連しない情報ですが、よく聞いて下さいという合図をします。

２番目の基本原則、「自分の伝えたい事を最初に言う」。

例えば、こんな事を相手に言うとします。

「明日、公園で父と一緒にキャッチボールをしに、あなたは愛人のために行きますか」

この日本語は、どこにも文法的に問題はありません。しかし、何を伝えたいのか、さっぱりわかりません。最後の「か」まで聞かないと、この文が疑問文かさえわかりません。日本人は意識しているかどうかわかりませんが、会話の最後に「か」をつけて、疑問文にするのは、世界的に見て特殊な言語です。だから、相手は、会話の最後まで聞かないと、この人は何を言いたいのかわかりません。英語ではこういう事はありません。英語はいきなり最初から、do you とか、what で始まるから、聞き手は理解しやすいです。つまり、最初に話し手が聞き手に対し言いたい事を言うので、聞き手は理解しやすいのです。

３番目は「同じ変化であれば、同じ意味を表す」。日本語で例を挙げます。「寿司」を丁寧に言う時は「お」をつけて「お寿司」と言います。同様に車に「お」をつけて「お車」と言います。

もし、お寿司の「お」は丁寧な意味を表すのに、「お車」の「お」は車を卑下する意味だとしたら、使う人は混乱します。だから、「同じ変化であれば、同じ意味を表す」と定義しないと相手とうまく話ができません。英語でも同じ事です。単語や文に、ある一定の変化のパターンがあれば、その意味も同様な変化のパターンでないと混乱してしまいます。

ここで言う変化とは動詞、助動詞の活用や、名詞の複数形に s がつくなどの全般的な変化を指します。

3．英語イコール日本語ではない

英語の単語と日本語の単語がイコールになる事はありません。言葉に対するスタンスが違うし、また、言語の最小ロットである単語の表す範囲が違っています。例として、interest を挙げました。表１の「本質的な意味」を見て下さい。interest の意味で一番主要なのは興味です。しかし、それは、interest の一部の意味しかとらえていません。

interest の意味を辞書で調べると、名詞だと以下の意味があります。

⑴興味　⑵関心　⑶利益　⑷利子　⑸利害関係

動詞になると、

⑴興味がある　⑵（人を）引き込む

interest という単語、１つ取り上げても、これだけの意味があり、これを全部覚えるのは大変な作業です。

英語を習い始めの人は、これだけの意味があります、覚えて下さいと言われても、大変な作業だと思います。１つの単語だけで、これだけの量があるわけですから、これが1000個の単語だと、その覚える量はとんでもない量です。

私も最初、英語の単語と日本語のいくつかの訳をひとつひとつイコールでつないで理解しようとしました。しかし、そのうち、英語の単語の表す範囲がとても広い事に気がついて、追い付かない状況になりました。みなさんも辞書を引いて、１つの単語にたくさんの意味が書かれていて、こんなに覚えなくてはいけないのかと思い、いやになった経験があると思います。

それはあなたが日本人で、日本語としての意味をたくさん覚えようとするからそうなるわけで、ネイティブの人は、１つの単語にいくつもの意味があると考える事はありません。１つの単語には１つの意味しかありません。

日本語の興味、利益、（人を）引き込む、この３つの意味が交わる所を、本質的な意味として、interest を理解します。

この本は単語の本質的な意味を探り、日本語での定義付けを試みます。邪道だと思う人もいるかもしれません。しかし、その単語の本質的な意味を理解しようとしているわけですから、無意味という事は決してありません。

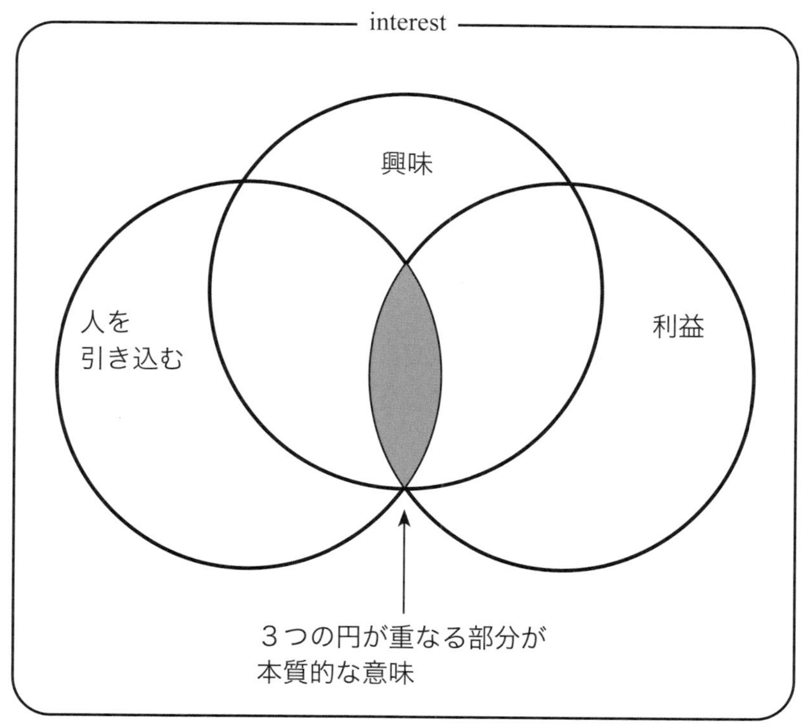

表１　本質的な意味

第2章　英語の根本的な考え方

4．英語の全体像の説明

表2「be 動詞の世界」と表3「一般動詞の世界」を見て下さい。

この2つの表が英語の全体像を表しています。

話し手は、まず、伝えたい事が「一般動詞の世界」又は「be 動詞の世界」のどちらかを選択します。

be 動詞とは「一般動詞が終了し、その結果、静止した状態」を言います。

be 動詞を選択したならば、次に現在、または過去を選択します。

一般動詞は be 動詞の逆、つまり「静止していない状態（行為している状態）」です。次に話し手は、過去と現在と未来のどれかの立場にたち、その行為の起こる期待可能性によって文章が作られます。これが英語の全体像です。

英語で話す時、話し手は、瞬間的にこの2つの表を頭の中で思い描き、その状況に最もふさわしい表現を採用します。

この本の中での動詞の活用とは、動詞の3つの活用、いわゆる現在形、過去形、過去分詞ではなく、表3「一般動詞の世界」に書かれている助動詞を含んだ1から25までの活用を指しています。

5．どうしてbe動詞の現在形（am, are, is）は3つで、過去形（was, were）は2つなのか

書店で売られている英文法の本を見ると、I am a student. この文の be 動詞 am は主語と述語をイコールでつなげる用法があると書いてあります。I と student をイコールでつなげるのです。確かにそれは誤りではありません。しかし、am を正確に表してはいません。イコールの用法は be 動詞 am, are などのすべてに共通の用法です。もし、am がイコー

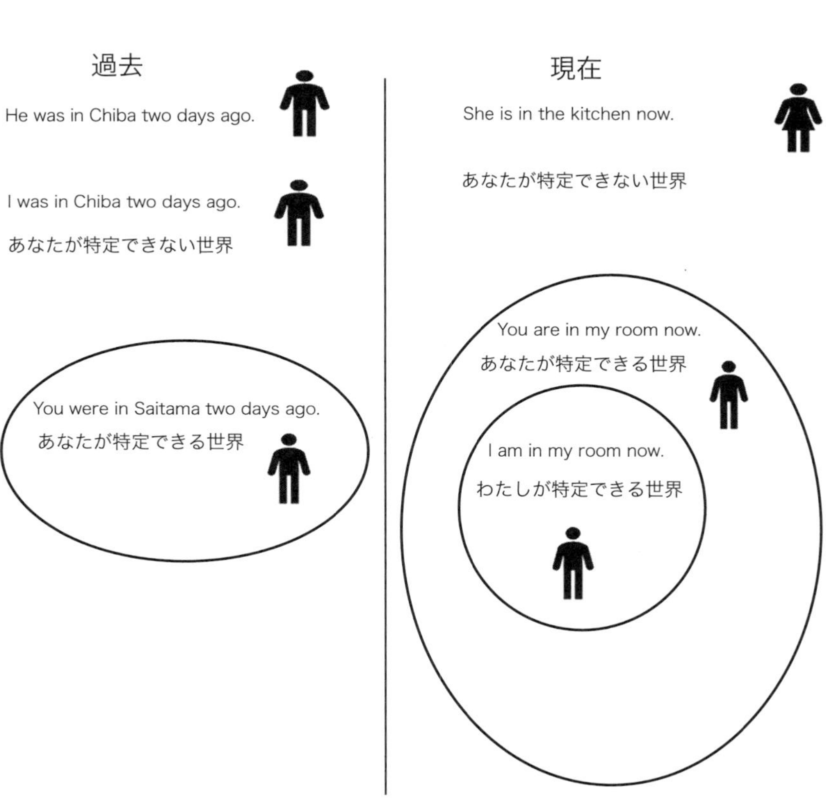
過去
He was in Chiba two days ago.
I was in Chiba two days ago.
あなたが特定できない世界
You were in Saitama two days ago.
あなたが特定できる世界
現在
She is in the kitchen now.
あなたが特定できない世界
You are in my room now.
あなたが特定できる世界
I am in my room now.
わたしが特定できる世界

表２　be 動詞の世界

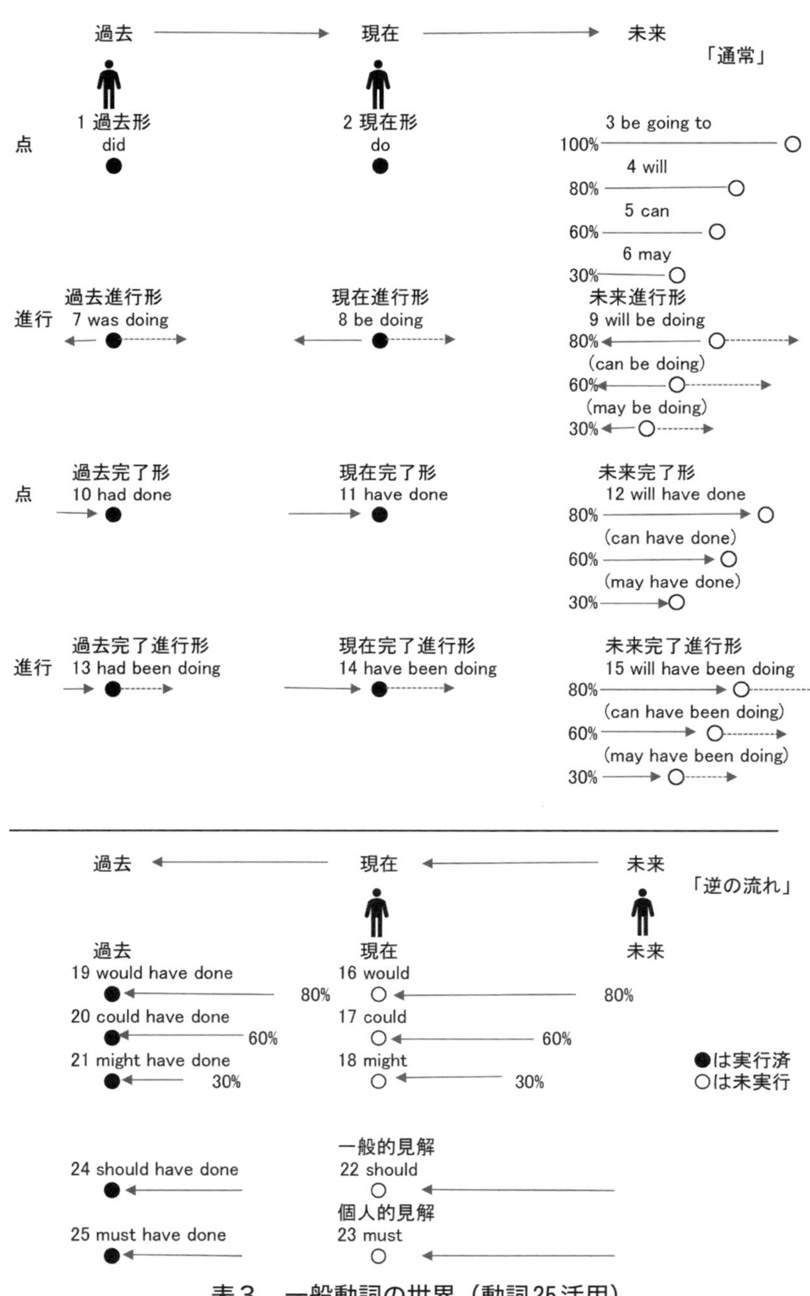

表３　一般動詞の世界（動詞25活用）

す。

スティーブン・キングの小説『It』を知っていますか。何度か映画化されています。あの小説に出てくる少年たちは、特定できない「it」、自分たちの理解を超えた「it」に対し、恐怖に怯え、勇敢に戦いを挑んでいきます。得体の知れない物はこわいです。作者は「It」というタイトルに、この得体の知れない物のこわさを重ね合わせています。

もう一つ、例を挙げます。あなたがテレビなどを見ていて、よく俳優や歌手の名前を思い出す事ができなくて、家族と「あの俳優、名前何だっけ」とか言う状況の時、突然思い出すと、

That's it.（それだ）

という表現をします。それを正確に説明すると、

（その名前は、あなたが特定できない世界の対象物〈it〉だった）
（だけど、やった特定できたぞ）

この場合 it を使います。あなたが思い出せない名前（it）は、あなたが思い出した瞬間、あなたが特定できる世界に入ってきます。それをやった、すごいぞという気持ちがこの That's it. なのです。

ちなみにマイケル・ジャクソンの最後の映画を知っていますか。タイトルは『This Is It』です。この文を訳せますか。前の段落で That's it. を（やった、思い出したぞ）と訳したから、この文は、やったこれはすごい作品だ、最高傑作だぞという訳が、合っていると思います。

そう訳した人は、極めて普通の人です。もうちょっと考えましょう。「あなたの特定できない世界」とは何ですか。あなたの認識が及ばない世界の対象物に、マイケル・ジャクソンはなったのです。is はもちろんイコールという意味です。そうです。「あなたが特定できない世界」とは、黄泉の国です。そう、あの世です。つまり、マイケル・ジャクソンはあの世の住人になったのです。

もちろん、he is it では表現がきつすぎます。これだと、彼は「あなたが特定できない世界」の対象物になった、つまり彼は死んだとそのまま表現しています。それではあまりにも直接的な表現なので、彼を「これ」に変えて「this is it」にしたのです。これだと、これはすごい作品だぞと、訳されます。このように単語を置き換えて、彼は死んであの世の対象物になったと暗にほのめかしたのです。

あの映画のタイトルには、そういうニュアンスが隠されているのです。あのタイトルを見た時、ほとんどの人が、どうしてこんなタイトルにしたのかと疑問に思い、そのまま、わからないまま終わったでしょう。ま、そこまで、考える人はあまりいないと思いますが。

さあ、It is. の正解です。It is. の訳は何でしょう。ここまで読んだ人は訳せるはずです。

It is.
（あなたが特定できない世界の対象物は〈何か〉とイコールです）

これが It is. を訳した日本語です。
この本を読まなければ、この訳に巡り会うことはなかったでしょう。

話は、またちょっと脱線しますが、昔、英語の先生が英語は主語が長いのを嫌うので it を最初に使って主語を短くしましょうと言いました。

It is good for you to use English at the class today before you start.
（今日、始める前に、授業で英語を使うのは、あなたにとっていい事です）

このような文みたいに、it で始めて、あとはダラダラ続く文が良いと言われました。

理由は教えられませんでした。しかし、アメリカの公式文書は逆に主語が長く書かれています。

今、書店で売られている英文法の本も、大体同じ事が書かれていますが、理由を明確に書いているものはありません。ちなみに東京の地下鉄の電車の中には、

Getting off the train between two stations is dangerous.
（二つの駅の間で電車から降りることは危険です）

また、中野駅の周辺の看板にはこう書かれています。

Smoking on the street in a prohibited zone will be subject to penalty.
（路上喫煙禁止区域内の路上喫煙は罰則の対象となります）

このように思いっきり、主語が長く書かれています。

このような公式の文章は読む事が前提で作られているので、主語が長くなるのが通常です。では、会話においては、どうして主語が長いのを敬遠されるのか。それは主語が長いと、am, are, is が、せっかく相手に予備知識を与えようとしているのに、am, are, is に、なかなかたどり着かないからです。そして、たどり着いた時に、be 動詞が is だったら、「何だ、おれとは関係ない事を話していたのか、一生懸命聞いて損をした」という事になりかねません。これが、主語が長い文章は好まれない本当の理由です。be 動詞はイコールのほかに、聞き手に早めに予備知識を与え、理解しやすくする役割もあります。英語の基本原則、「相手に予備知識を与え、理解しやすくする」を実践しているのです。**5** の「**どうして be 動詞の現在形～**」で既に説明して、あなたに予備知識を与えているので、理解しやすいでしょう。つまり、これが主語を短くするのが好まれる本当の理由です。

9．時間の流れには２つの流れがある（通常と逆）

日本の英文法で欠落しているのが、時間の流れです。

表３「一般動詞の世界」（p. 18）を見て下さい。

上部は時間の流れが「通常」です。過去から現在そして未来です。

下部は時間が「逆の流れ」です。未来から現在、現在から過去に流れます。●は、動作が終了した事、○は動作が終了してない事を表しています。左に点と進行が書かれています。点は動作を点と捉え、進行は動作を継続しているものとして捉えます。動作終了後も継続を表すため、●と○の右側が点線になっています。この点線の意味はあとででてくる34の「**進行形の本質的な意味**」で説明しています。

下部は矢印が逆の向き、左に向いているのは、時間の流れが逆であることを表しています。話し手が未来に立って、現在を見るパターン、現在に立って過去を見るパターンです。あとから話す丁寧表現、仮定法はすべてこの逆の流れに沿って、話し手が聞き手に話をしています。

この表には25個の動詞の活用も載っています。１の過去形から15のwill have been doingまでは、通常の過去から現在、現在から未来の流れですから、すぐに理解できると思います。

問題は16のwould以降です。

この時間が、「逆の流れ」という概念は、教科書には載っていないと思います。

今あなたは、お腹が減っています。母親にラーメンを作ってほしいと思っています。それで、10分後の未来に立って、現在を見ます。その時、あなたは「こうなればいいのになあ」という気持ちがあります。wouldはこの「こうなればいいのになあ」という気持ちを表しています。また、現在のことを話していますが、未来に立って、現在を見ているので時制が下がり、willの過去形のwouldになります。17 could, 18 mightも同じ考え方です。

次に、現在に立ち、過去を見るパターンがあります。図で言うと19, 20, 21, 24, 25です。これらは、過去の事ですから、過去の起こった事実違う立場にたっています。

You should study hard.（あなたは一生懸命勉強しなければいけない）
You must study hard.（あなたは一生懸命勉強しなければいけない）

どちらも日本語に訳せば、勉強しなさいという意味です。しかし、日本語の訳で同じだとしても、should と must は用法上の違いがあります。違いがあるからこそ、違う表現をしているのです。よく you have to と you must は同じ意味みたいに言う人がいますが、それは違います。違う単語を使う以上、必ずどこか意味の違いはあります。

では、should と must の違いがどこにあるのか。２つの助動詞の用法の違いは何かという事です。

should の本質的な用法は「一般的公的な意味合い」です。

must の本質的な用法は「個人的な意味合い」です。

表５「should と must の世界」を見て下さい。should と must のイメージを書きました。should を使う前提として、多くの人の同意を基にしたグラウンドの上で、発言する。つまり、一般的見解を基にして、should を使っています。

それに対し、must は１人だけのグラウンドに立っています。つまり、１人だけの思い込みのグラウンドの上で must を使っています。

具体的に言うと、学校の先生が、教室で生徒に英語の勉強をしなければいけないと言う時は You should study English. となるでしょう。それに対して、生徒が、趣味のライブ活動のために自宅でギターの練習をしなければいけない時は、I must play the guitar. になります。それゆえ、must には個人的な事象に使用する事が多くなります。ちなみに、should には現在形の shall がありますが、must には現在形がありません。どうしてですか。それは趣味でやっているギターの練習や、個人的にやっている中国語の練習は自分が思った時しか、その事象は発生しないからです。過去とか未来の概念は存在しません。自分がやろうと思った時に発生して、それで終了です。しかし、個人的な事、公的な事とは、その人の身分や思い入れもあるから、一概に、この場合はshouldを使います。この場合はmustを使いますとは言い切れません。

このようにmustに過去形がない理由を、ちゃんと説明すれば、理解しやすいと思うのですが、英文法の本には、あまりそういった事は書かれていません。本には、「mustは過去形がありません」の一言だけだったりします。ちょっと不親切です。

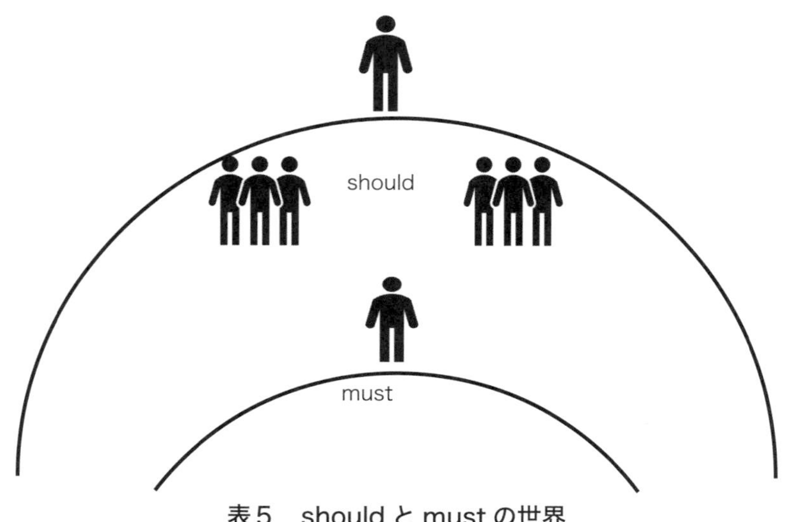

表5　should と must の世界

どです。これらの意味から総合して、本質的な意味は「固定された情報を束ねた物」です。つまり、ネイティブがbookに対して持つイメージは、予約表のような形式化された帳面の束です。日本人がbookに対して持つイメージとは大分異なります。仮に日本人がbookに対して持っているイメージが、書店で売られている本とするならば、それは英語だと普通copyを指します。**3**の「**英語イコール日本語ではない**」参照。

15. 動詞と名詞の2つの意味を持つ単語

bookに前にaをつける理由を説明したので、意外な動詞の意味を持つ名詞を挙げていきます。英語は、1つの単語に名詞と動詞の2つの意味を持つ物がたくさんあります。どうしてそういう事をするのでしょうか。それは、英語を学ぼうとする人の覚える量が減り、学ぼうとする人が楽できるからです。英語は、学ぼうとする人に楽をさせるため、様々な工夫がされています。

例を挙げます。

fish	名詞（魚）	動詞（情報を引き出す、手探りで探す）
head	名詞（頭）	動詞（向かう）
top	名詞（頂点）	動詞（〜の記録を超える）
book	名詞（本）	動詞（予約する）
dog	名詞（犬）	動詞（つきまとう）
issue	名詞（発行）	動詞（声明を出す、新聞を発行する）
bomb	名詞（爆弾）	動詞（爆撃する）
train	名詞（電車）	動詞（運動する）
bus	名詞（バス）	動詞（バスに乗る）

ほんのわずかな例ですが、これだけでも動詞の意味の傾向がわかると思います。dogは名詞で「犬」、犬が人の周りを嗅ぎまわる動作から連想される動詞は「つきまとう」です。つまり名詞から連想しやすい動作

が動詞になっています。fish「魚」から連想される動詞は「釣る」です。フィッシング詐欺という言葉にこの動詞が使われています。ネットを通じて、お金やデータを釣り上げるという意味です。

英語はあまり使わない難しい単語より、ありふれた名詞を動詞として使って、相手にわかりやすく伝えようとしています。

この１つの単語に名詞と動詞の意味を持たせる考え方は、違う所でも見られます。

どこかと言うと読み方です。英語の a は２通りの読み方ができます。例えば、cat は、カタカナでは表記できず、æ の発音記号で表します。また、cake（ケーキ）の場合、ケイクと発音し、a は ei という音を表しています。つまり、a は２通りの言い方ができるので、１個の英字で２個の発音がカバーできます。ここでも、英語の根本原則の「伝えたい事を相手に伝える」を実践するために、初心者の覚える負担を軽減するための工夫がされています。これはフォニックスという呼び方で一般に認識されているので、興味を持たれたら、一度調べて下さい。

16. a と the について

a と the の違いについては、みなさんもわかっていると思います。下記の文を読んで下さい。

⑴ There lived a fishman in a small village.
（小さな村に漁師が住んでいました）

⑵ The fishman was born from a peach.
（その漁師は桃から生まれました）

⑴の a fishman の a は不特定の a です。聞き手がその漁師について初めて聞いて、認知していなければ a を使います。次に、聞き手がその漁師である事を認知して、特定できているので、the を使います。簡単に言うと、a は初めて出てきた物で、the は聞き手がそれを特定できる物。

これは、理解しやすいので、みなさんすでに知っていると思います。

５の「どうしてbe動詞の現在形～」の所で、areは「あなたが特定できる世界」、isは「あなたが特定できない世界」を表すと説明しました。あの考え方は実を言うとaとtheの関係と同じなのです。theは「特定できる名詞」であり、aは「特定できない名詞」です。この関係性をareとisにも持ち込みました。私が、areを「あなたが特定できる世界」であると説明した時、「こいつ、おかしな事を書いているな」と思った人がいるかもしれません。しかし、みなさんが既に知っているaとtheの関係性をそのまま持ってくれば、areは「あなたが特定できる世界」、isは「あなたが特定できない世界」とすんなりと理解できるのではないでしょうか。

基本原則の３番目「同じ変化ならば同じ意味」に従うなら、aは不特定の名詞、theは特定できる名詞の関係性があるので、areとisに関しても、「あなたが特定できる世界」、「あなたが特定できない世界」の関係性があると考える方が自然だと思います。

もちろん、こんな事はどの英文法の本にも載っていませんが、こう考える事によって、様々な疑問が解けていきます。

話は少しそれますが、よく車の窓の所に“baby in car”というステッカーを付けている車を見かけたりします。英語を探求するのが好きな私は、aもtheもついていないのは、ちょっと気になります。この文はいかなる意味を表しているのか。付けている方からすると、「車の中に赤ちゃんがいます、気をつけて運転して下さい」と言いたいのでしょうが、ほんとうの意味は何でしょうか。そもそも、carの本質的な意味は何か。carの本質的な意味は「人又は物を運べる移動する箱」です。具体的に、どんな物を指すかというと、貨物車両、人を運ぶ箱ですからエレベーターもOK、ゴンドラもOK、ロープウェイの車両もOKです。すべてcarが使えます。ではcarにaもtheもついていないとどんな意味になるのでしょうか。aもtheもついていないと一般的な総称の意味合いがでます。I like applesを例に挙げます。この文は「このリンゴが好き」を意味するのではなく、「銘柄に関係なく全般的に私はリンゴが好き」という意味です。a又はtheがついていないcarもこれに近い意味になります。よって、“baby in car”を訳すると、こんな感じになります。「およそ一般的な、人を運べるような箱の中に入っている赤ちゃん」という意味になります。作った人は、そんな意味で作ったとは到底思えませんが、carの本質的な意味が分からず、theをつけないとこんな事になります。

17. thereはいつ使うか

中学の時、英語の授業が始まってすぐ、thereを使った文が出てきます。そして、決まって例文はThere is a book on the table.や、There is a cow on the meadow.とか、そんな文です。しかし、thereを使わないで、普通にA book is on the table.と言えばいいのではないか。どうしてthereを使うのかと思った人はいませんか。もちろん、a bookから始めない以上、thereにもちゃんとした意味があります。

英語の目的は何ですか。「伝えたい事を相手に伝える」ですね。そのための基本原則の1番目に「予備知識を与える」がありました。予備知識とは、areやamが今から「あなたや、私に関することを話しますから、注意して聞いて下さい」という事です。

このthereも聞き手に対し、予備知識として今から「初めての話をしますよ、注意して聞いて下さい」という事を伝えているのです。

逆に相手がすでに知っているものに対しては、thereは使えません。

There is Mt. Fuji in Yamanashi.（富士山は山梨にある）

この文は誤りです。この例文を見た人はいないはずです。なぜなら、聞き手は富士山をすでに知っているから、このthereは使えないのです。

thereの本質的な意味は、あくまで、初めての情報を相手に伝える時に使い、理解の手助けをしているのです。もし、thereを使うなら、相

（彼が中野に新しい店を開いたそうだよ。彼ならうまくいくと思うよ）

25. 基本動詞（get, take, have, give）の使用例

前述の基本動詞はよく使うのですが、実際にはなかなか使えないところがあります。

これも具体例を示して説明します。あなたは電車に乗ろうとします。電車の車内はがらがらで、特に労力を払わずに席に座れました。この状況は I get a seat. です。

次の状況です。電車の中に入ったのですが、割と満員で空いている席は少ししかありません。すでに席に座っているお客さんにお願いして、つめてもらって空いたスペースに座りました。これはあなたが席に座ろうと自分で動いて得たのだから I take a seat. です。今あなたは、席を自分の管轄下においています。この状況は I have a seat. です。すると、電車の中に、おばあさんが入ってきました。そこで、あなたは席を立ち、おばあさんに席を譲りました。この場合、I give a woman the seat. です。get も take も日本語の訳の一番目は「得る」です。しかし、「得る」の方法が違います。get の「得る」は他人や、外部からの影響力で得ます。それに対し、take の「得る」は自分が動いて得ます。さっきの席の話ですが、最初の get は、電車の中がすいているので、自分は何も努力しないで、自然と席を得ることができました。take は自分が動いて取りに行くニュアンスが必要なのです。

私は散歩をするは、I take a walk. です。自分が動いて得るからです。

では試験で100点取るのは、get か take か。通常、試験は他人が採点して、100点を与えるから I get a perfect score. でしょう。では、何かのオーディションでチャンスをつかんだなら、take ですか、get ですか。

どんなオーディションかにもよるのでしょうが、自分の力で勝ち取った意味なら、I take a chance. です。単なる書類選考でしたら、I get a chance. でしょう。

26. say と tell と speak と talk の違い

この「話す」という動詞、say, tell, speak, talk も似たような動詞で、どういった状況で、どう使えばいいのかよくわかりません。しかし、日本語も話すという動詞には、「言う」「しゃべる」「会話する」「語る」など、いろいろな言い方があるので、イメージはしやすいと思います。違いは「話す」に対する捉え方です。

say, tell は話す内容に着目し、speak, talk は話す動作に着目します。

say の本質的な意味は「はっきり物を言う」話す内容をそのまま言います。

tell の本質的な意味は「内容を人に伝える」内容を間接的に言い換えて人に伝えます。

speak の本質的な意味は「語りかける」一人で相手に語りかけます。

talk の本質的な意味は「誰かとおしゃべりをする」内容よりも、誰と話をしたかを伝えようとしています。

He said to me "hello".（彼は私に「やあ」と言った）
What does the paper say?（新聞はなんて書いてあるのですか？）

say は内容が重要です。

Tell me the details.（詳しく話して下さい）
I'll tell you a special secret.（とっておきの秘密を教えましょう）

tell は内容を人に伝える事を重要視しています。

The president speaks on the White house.
（大統領がホワイトハウスで話す）
I speak four languages.（私は４カ国語を話す）

speak は一人で相手に語りかけています。

I talked with my husband about child's education.
（私は夫と子供の教育について話し合った）
We talked on the phone.（我々は電話で話した）

talk は誰と話をするかが重要です。

ここで「話す」という動詞を例にして違いを考えたのは、その他の似たような動詞の違いについて考えてほしいからです。
「見る」「聞く」「期待する」「予測する」「非難する」「与える」「求める」などは意味が似たような動詞が複数個あるので、自分でいかなる違いがあるか確認して下さい。どのような状況で使用するかを理解して下さい。
ここで意識してほしいのが、いかなる違いで動詞を分類するか、公的立場、私的立場、広範囲、狭い範囲、抽象的、具体的、全体的、個別的、内向き、外向き、意志が固い、意志が弱い、こういう観点で違いを明確にして、動詞の理解を深めれば、使い方を間違えないと思います。似たような動詞の意味の違いについては、辞書なり、様々な本が出ているので、自分自身で確認して下さい。

27. 知覚動詞について

知覚動詞について説明します。ここで知覚動詞を取り上げるのは、これも英文法の本に記述がない事を取り上げるからです。

I see a girl play the guitar.（私はギターを弾いている少女を見る）

知覚動詞には to 不定詞が使われません。英文法の本には原形不定詞を使うと書いていたりしますが、to を使わない不定詞、原形不定詞の意味がわかりません。突然、toがつかない原形不定詞を出されても、理解できません。そもそもto不定詞のtoがつかないものは単なる動詞の現在形だと思うのですが。

少し説明します。to不定詞が使われない理由はseeとplayの時間が短いからです。

この知覚動詞の場合、見た瞬間、少女がギターを弾いているのがわかるので、「向かう」という意味のtoをつける程度の時間がないからです。時間がない以上、to不定詞のtoをつける必要はありません。その事を理解した上で、下記の文章を見て下さい。

I felt something touch my arms.（何かが私の腕に触れるのを感じた）
I heard John call my name.（ジョンが私を呼ぶのが聞こえた）

両方の文章とも、感じた瞬間、聞いた瞬間、どんな状況が起きたか理解しています。toをつけるほどの時間的余裕はないと思います。

知覚動詞にto不定詞をつけない理由は、時間が短いからです。

では、逆にtoをつけるのは、どんな場合ですか。

そうです。時間が長い時です。具体例です。

John was heard to complain about the team.
（ジョンがチームについての不満を言うのを聞かれた）

この場合、ジョンがチームについて文句を言った後、何日か経過して、その話を誰かに聞かれたわけですから、ある程度の時間が経っています。この場合は文句までに時間があるので、（向かって）の意味があるtoが使えます。

この時間が長い、短いとかは英文法の本には載っていません。少なくともtoのない原形不定詞という言葉よりも説得力はあると思います。

られます。did you で聞くと、友人は渋谷に１回きりしか行ったことがないとあなたに思われていると感じるかもしれません。

Have you been to Shibuya?
（あなたはこれまで、渋谷に行った事がありますか？）

ここは現在完了形で聞いた方が無難のような気がします。

ちなみに余談ですが、動詞にはいくつ種類がありますか。現在形、過去形、過去分詞の３つですね。では、過去分詞は一体どういう意味を表しているのですか。もちろん、現在形、過去形の意味は読んで字のごとし、現在、過去を表す動詞です。

過去分詞は英語では、past participle そのまま訳して過去分詞です。participle の意味は分かれているという意味です。つまり、過去分詞という言葉自体は何かの用法を表していません。そもそも分詞という言葉の意味がわかりますか。分詞というのは分けるという意味ですから、過去形と意味が多少違うから、名前を分けようという事で過去分詞と名付けられただけです。分詞という単語はそれ自体、文法的に何の用法も表していません。

36. 過去形と過去完了形の違い

これは、具体例を示せば一発です。あなたが、本屋に本を買いに行きました。すると、本は、すでに売り切れていました。本を買いに行ったのが過去としたら、売り切れるのは当然、買いに行った前の事象ですから、この場合、売り切れた状況に対しては過去完了を使わないと、つじつまが合いません。

When I went to the shop, the book had already sold out.
（私が店に行った時、本はすでに売り切れていた）

過去完了形を使うのは過去完了形を使わないと、つじつまが合わない時です。だから、無理して使う必要はありません。あくまでこの過去の動作より、さらに過去という事を示さないと論理的におかしくなる時だけ使えばいいです。

He visited the town where the famous writer had lived.
（彼は以前、有名な作家が住んでいた町を訪れた）

有名な作家は、彼が訪れる前に、その町に住んでいないとおかしいです。

第7章　to不定詞

37. toについて

toは本来前置詞です。用法は目的地への方向を表します。日本語の助詞（〜へ）に近いです。しかし、後ろに動詞の原形をおいて、to不定詞にもなります。英文法においては、to不定詞だけで個別の章を設けるほどの情報量があります。

ちなみにto不定詞の意味をあげていくと、

⑴ 名詞的用法

Her dream is to be a singer.（彼女の夢は歌手になることです）

⑵ 形容詞的用法

I have a lot of things to do today.
（今日はやることがたくさんある）

⑶ 副詞的用法

⑶–1 目的を表す

Keiko is studying hard to be a lawyer.
（ケイコは弁護士になるために一生懸命に勉強している）

⑶–2 感情の原因を表す

I am glad to see you.（あなたに会えてうれしい）

His father was pleased to hear his son's promotion.
（彼の父は、息子の昇進を聞いて喜んだ）

She was disappointed to find that she had failed the exam.

（彼女は試験に落ちた事を知ってがっかりした）

⑶–3 判断の根拠を表す

He was careless to do such a thing.

（そんなことをするとは、彼は不注意だった）

He must be clever to answer that question.

（あの問題に答えられるなんて、彼は賢いにちがいない）

⑶–4 結果を表す

Her grandfather lived to be eighty-five years old.

（彼女の祖父は85歳まで生きた）

The man entered the room to find it empty.

（男は部屋に入ってみたが、そこには何もなかった）

そもそも、ほかの前置詞なら、in writing, on going のように ing の形をとるのに、to の場合は必ず原形がつきます。

どうして前置詞である to だけが、動詞の原形とくっついて to 不定詞になるのか、私にはわかりません。

確かに、前置詞の to は、下記の文のように場所に向かっていく用法です。これは理解しやすいです。

I go to the park.（私は、公園に行く）

しかし、to 不定詞の用法の中の、「感情の原因を表す」は、向かっていっているわけではないし、「結果を表す」用法は、最終的に85歳まで生きたという意味で、前置詞の to の向かっていくというより、むしろ過去を振り返る印象を与えます。

つまり、前置詞の to と to 不定詞の to は、別の物であるから、このように異なる用法になっていると言わざるをえません。

しかし、それでは英語の基本原則に反します。「同じ変化ならば同じ意味」という原則がありますから、to はあくまで to であり、前置詞の to も to 不定詞の to も同じ用法でないと混乱します。では to はいかなる本質的な意味、用法を持っているのか。

ここで、視点を変えてみます。

下記の文は、「(3) –3 判断の根拠を表す」です。この文を基にして考えます。

He must be crazy to go out in the stormy weather.
（彼は、狂っている、こんな嵐の中、出かけるなんて）

この to は彼が狂っている理由を求めて、その結果として嵐の中出かける事を理由としたのだから、理由に向かったと考えれば to を使うことに問題ないのではないか。

そもそも、to の用法はこれから未来に向かう場合だけを、想定しているのではない。結果とか原因という言葉に固執していただけで、結果や、感情の原因、根拠に向く事が用法ではないのか。

そうやって考えれば、to の本質的な用法とは、前置詞の to も to 不定詞も、未来の事象に限定すべきではなく、過去の事象にも範囲を広げ、ただ単純に向いていれば使えるのではないか。つまり、「未来、過去を問わず向かって」さえいれば、それは to の適用範囲ではないのか。

to に関しては、前置詞の to と to 不定詞と分かれて書かれているため、別の物であると思い込まされているのではないのでしょうか。

そうやって考えると、

He grew up to be a famous scholar.
（彼は大きくなって有名な学者になった）

この文の to の意味は、「結果」として to をとらえるのではなく、grow

up で成長し、どういうふうに成長したかという「結果に向かった」と解釈すれば、to を支障なく、使えると思います。

同じように、

I am relieved to hear that he was safe.（彼の無事を聞いて安心した）

この文も to は「理由」として意味を考えるのではなく、to は「聞いた事に向かった」と解釈すれば、すんなりと to が使えるのです。

しかし、そこまで考えると英文法の本で、わざわざ 1 つの章として、to 不定詞を取り上げる必要性はなくなります。
そこまで、書かなくてもいいだろと思うかもしれませんが、別に to 不定詞はいらないという事ではありません。言いたいのは、to の本質的な用法である「未来、過去を問わず何かに向かう」ですから、to 不定詞も、前置詞の to の所に含めてもいいのではないかという事です。

38. be 動詞 + to 不定詞

次に be 動詞＋ to 不定詞の説明をします。ここで be 動詞＋ to 不定詞を取り上げるのは、みなさんを混乱に陥れている典型的な例だからです。英文法の本には be 動詞＋ to 不定詞は、予定、義務、命令、可能など、数種類の用法があると書いてあります。結局、どういう意味なのか、理解に苦しみます。もちろん、全部覚える事はできないし、むりやり覚えても、理解していないのでそれが日常会話で使えることはありません。
be 動詞の本質的な用法は「一般動詞が終了し、静止した状態」です。to の本質的な用法は「未来、過去に関係なく向かう」です。この 2 つの意味を合わせると「未来、過去に関係なく、向かうために静止している状態」という意味になります。

分けて考えます。be 動詞を使うので、静止した状態です。義務や意図や可能の用法に使えます。to を使い「向かっている」ことを表しているため、予定、運命に使えます。

We are to meet here tomorrow morning.
（私たちは明日の朝、ここで会う予定になっている）（予定）

予定ですから、未来に向かっています。to が未来に向かっています。

You are to hand in your paper by Wednesday.
（あなたは水曜日までにレポートを提出することになっている）（義務）

これも水曜日に提出するという未来に向かっています。

No one was to seen in the park early in the morning.
（早朝の公園には誰の姿も見えなかった）（可能）

これも見るという動作が終了し、静止した状態になっています。その結果、見るという動作が可能だったという結果が生じています。これも to の「結果に向かう」用法を使っています。

The boy was to play an important role in the history of physics.
（その少年は物理学の歴史で重要な役割を演じる運命であった）（運命）

これは、運命というより結果と言った方が良いと思います。to 不定詞の用法、「結果に向かう」を運命と言い換えているだけです。

be 動詞＋ to 不定詞を、ここで取り上げる理由は、be 動詞と to の本質的な意味を理解すれば、たやすく用法が覚えられる事を言いたかったのです。

用法は1つしかないのに、たくさんあるように見せかけ、be 動詞＋ to 不定詞がでてきた時、みなさんに予定、義務、命令、可能と念じさせ、どれかに当てはめるパズルをやらせているのが英文法の世界です。

を敬う表現と同じような使い方の言葉がないと言っているのです。

42. I will goとI would goの違い

I will go.（私は行くだろう）
I would go.（私は行くだろう）

この２つの文は日本語に訳したら、どちらも同じ訳になってしまいます。しかし、違う単語を使用している以上、必ず、何らかの違いがあるはずです。

具体例です。２人の大学生、卓也と信二が会話をしています。

卓也が信二に言います。

I will go to the movie with my girlfriend tomorrow.
（俺は明日、彼女と映画に行くだろう）

卓也のI willは単なる予定で使われていて起こりえる可能性は80％です。

「いいな、俺は試験のことが心配でそれどころじゃないよ」信二が答えます。

一方、信二は必修の民法を落としていて、その試験が３日後にあります。それを落としたら、卒業できません。

「信二、映画見に行くの？」卓也が聞きます。

信二は答えます。

I would go to the movie if I pass the exam.
（試験に受かったら、見に行くだろう）

信二は試験後の未来に立って、現在の事を話していますから、wouldを使います。

ちなみに、信二がその映画にあまり興味のないときは下記のように、could, might を使います。

I would go.（行くだろう）（期待可能性80％）
I could go.（行くだろう）（期待可能性60％）
I might go.（行くだろう）（期待可能性30％）

信二の映画に行こうとする気持ちを数値に表したら、こんな感じになります。

43. would と could の違い

will と would の違いはわかりましたか。
では問題です。
次は would と could です。この２つの違いは、わかりますか。
Could you tell me your account? と Would you tell me your account?
どっちが、丁寧な聞き方ですか。
could の期待可能性は、何％ですか。60％ですね。would の期待可能性は何％ですか。80％ですね。だとすると、期待可能性は would の方が高く、相手に対し多くのプレッシャーを与えているので、would の方が高圧的です。よって could の方が相手に丁寧に聞いています。
しかし、常に would の方が高圧的になるわけではありません。
will で例を挙げます。

⑴ Will you clean the bath?（風呂の掃除をしましたか）
⑵ Do you clean the bath?（風呂の掃除をしましたか）

こういう状況です。母親が娘に対し、風呂の掃除をしておいてと頼んだのに、娘は風呂の掃除をしていませんでした。この場合、⑴で聞くと、風呂の掃除を約束していたのに、やってないよねと聞こえます。それに対し、⑵は、ただ単純に、風呂の掃除はやるのかという事実確認です。⑵は可能性が100％または０％で、⑴は可能性が80％ですから、％だけ見ると、⑴の方が控えめに聞いているような印象を受けます。しかし、実際は⑴の方が威圧的です。やるという約束なのに、やってないとはどういう事だと、とられかねません。

結局、will you で聞いたり、could you で聞いたりしても、その時の状況により威圧感は変わってくるので、これぱっかりは使わないと理解できません。

44. I' dは、I hadの省略した形、I wouldの省略した形のどちらか

洋書を読む人は、気づいていると思います。I had も I would も省略した形は同じ I'd なので、読んでいる最中には、どちらか判断がつきません。

どちらの省略の形をとっているかを判断するのは、I'd の後の動詞を見るしか方法はありません。後ろの動詞が過去分詞であれば、それは I had です。現在形でしたら、それは I would です。では後ろの単語が run, cut のように過去分詞も現在形も同じ形のものはどうするのか。それはもう話の文脈で判断するしかありません。

ちなみに、後ろが過去分詞なら、日本語の訳は（〜だった）で、現在形なら（〜だろう）という訳が、一番近いです。読む時に、頭に入れておくだけでも違います。

45. shouldについて

地下鉄の駅のホームにこういう事が書かれている掲示板があります。

It should occur a fire in a train that is running in a tunnel.
（万一、電車がトンネルの中で走っている最中、火災を起こした場合）

こういった文章には、shouldが使われます。shouldの用法を（〜すべき）とだけ覚えていたら、理解はできません。どうして、この文にはshouldが使われているか。それはこの文が公的な意味合いだから、shouldを使うのです。英文法の本には、万が一の確率の低い事象に関しては、shouldを使う事が多いと書いているのが見受けられます。しかし、確率が低い高いはあくまで個人の価値観です。その論理だと、すべての仮定に使用していい事になります。shouldはそのような使い方はされません。公的な意味合いの場合に使われます。**11の「shouldとmustの違い」**でshouldの本質的な用法を説明しています。

つまり、もしこのような事態が起こったら、このような公的な対応をいたしますという意味です。

他の用法としてshouldには、以下の使い方が英文法の本に載っています。

⑴ 感情や主観的判断を表す形容詞に続くthat節の中
It is natural that she should be disappointed.
（彼女が落ち込むのも当然だ）

⑵ 必要性や重要性を表す形容詞に続くthat節の中
It is important that we (should) share information.
（我々が情報を共有することが重要だ）

⑶ 提案や要求を表す動詞の後に続くthat節の中
He proposed that we (should) decide by majority.
（彼は私たちが多数決で決める事を提案した）

⑴の文章を見て下さい。主観的判断を表す形容詞とは、naturalのような形容詞を指します。shouldの用法を「すべきだ」とばかり覚えている人は、どうしてここで、shouldを使うのか、理解できないと思いま

す。実際、英文法の本にも、このshouldがいかなる理由で使われているのか、わからず、ただ「使われることがある」と書いて、逃げていたりします。

ここでなぜ、shouldを使うかについての説明は、⑶の文章がわかりやすいので、これでやります。

⑶は提案の動詞の時にshouldが使われると言っています。提案とは、どういう意図がありますか。

この文での提案とは、「差し出がましいでしょうけど、一言言わせて下さい」という出しゃばりなニュアンスがあります。それでは相手に対し不愉快な印象を与えるので、ワンクッションいれるためにshouldをいれて緩衝しているのです。そこには当然公的にコメントする意味合いもあります。

９の「**時間の流れには２つの流れがある**」において、助動詞の過去形は未来から現在を見て、やってくれたら「ありがたい」という気持ちがある事を説明しました。このshouldもshallの過去形ですから、やってくれたら「ありがたい」という気持ちがあります。

この⑶においても、多数決で決めてくれたら、「ありがたい」という気持ちがあるから、下手に出るためにshouldを使うのです。直接提案するのではなく、やってくれたら、私はうれしいという意思表示なのです。shouldを「すべきだ」とばかり覚えている人が、この文を訳したら、多数決を取るべきだと訳すかもしれません。これは決して断言的に言っているのではなく、あくまで、ワンクッション置いて、丁寧に言っている文なのです。

次に⑴ですが、彼女が落ち込む事に対して、主観的に評価を下しています。shouldがないと、彼女に評価をえらそうに下していると、とられかねないので、「言わせてもらえれば」というニュアンスを出すために、shouldをつけて、丁寧に言ったのです。

⑵においても、情報を共有することができるのであれば、それは「ありがたい事」だというニュアンスを表すためにshouldをつけているのです。

同じ考え方で、may を使う文章があります。

No matter who may call me, tell him I'm out.
（だれが電話をかけてきても、私は留守だと言いなさい）

no matter ＋疑問詞の文で、助動詞に may を使う事があります。英文法の本は、文語調なので、口語ではあまり使わないと書いているだけです。とりあえず、説明します。これは、may を使っているので、現在から未来を見ているので時間の流れは通常です。よって、上記の should とは用法が違います。この文は、may がなければ、強い断言的な言い方になってしまいます。may は期待可能性が30％ですから、断言的な言い方を柔らかくするため may を使います。この文を詳細に訳します。
（誰かが電話をかけてくる可能性は低いかもしれないけれど、もし、かかってきたら私は外出中と答えてね）

このmay も上記の should のように、ワンクッション置くための助動詞です。しかし、口語では断言的にはとらないので、may は省略するのです。

46. have to と must の違い

「あなたは勉強しなければいけない」を英訳しなければいけない時、あなたは have to を使いますか、それとも、must を使いますか。

have の本質的な意味は何でしたか。**22の「have の本質的な意味」**で説明しています。have は「すでに何かの管轄下にある」です。

You have to study hard.（あなたはもっと勉強しなければいけない）

この文を詳細に説明します。この文が、ある学校の教室を前提にしているとします。あなたはクラスメートに比べると、成績が低いので、みんなと同じレベルに達するように、もっと勉強しなさいという意味です。have はあなたが、クラスで管轄されているレベル、つまり平均点レベルを表し、to の本質的な意味は、「向かう」ですから、平均点に向かうという意味です。ここまで説明する必要はないと思いますが、ここは、素直に have to はみんなと同じ程度になるように（〜しなければいけない）でいいでしょう。

You must study hard.（あなたはもっと勉強しなければいけない）

この文を説明します。私はあなたの成績は詳しくはわからないが、私の個人的印象から言えば、あなたはあなたの持っている能力以下の実力しか発揮していないので、もっと勉強しようという意味です。must は「個人的意見として〜しなければいけない」でいいでしょう。

He must be sick.（彼は病気にちがいない）

この文章は、例文としてよく載っています。
ではこの文章はどうですか。

Must he be sick?（彼は病気ですか？）

この文章が、おかしい事がわかりますか。
文法的にはこの文章は、正しいですが、実際にはありえません。説明できますか。
must の本質的な意味は何ですか。
個人的な見解に立って、意見を述べるわけです。今、彼が病気かもしれないという事は、話し手が個人的に推測している事案です。
比較するために以下の文を書きます。

(1) He must be sick. ＝ I think he must be sick.
(2) Must he be sick? ＝ Do I think he must be sick?

⑵では、自分が個人的に推測している事を相手に対して、自分が推測していますかと聞いています。論理的におかしいです。

では、この文ではどうでしょうか。

Must he come by 7:00?
（彼は７時までに来なければいけないでしょうか）

この文は意味が通じますね、彼が７時までに来なければいけないという事に対し、相手に意見を求めています。これは must を義務の用法で使っている事案で疑問文として問題なく使えます。

言葉なので、文法的には正しいが、論理的にはおかしいものが時々出てきます。

病気はしつこく彼と一体になる程、合体していたので、of を使うのです。省略している単語を敢えて書けばこうなります。

He was cured (himself) of his disease.
（彼は彼自身を治された、彼の病気に関して）

こう書けば、He tapped her on the head. と同じ構造になります。

⑻ Russia is stripped of volleyball championship.
（ロシアはバレーボールの世界大会優勝を奪われた）

この of もロシアから、世界大会優勝をはぎ取る意味で使っています。この文の strip も warn, deprive と同じ使い方です。（ロシアは、はぎ取られた、世界大会優勝に関して）

stripped の後ろに省略されているものとして考えられるのは、pride（名誉）と考えていいでしょう。

⑼ Some participants pull out of U.S. gun lobby convention.
（何人かの参加者は銃のロビイストの大会を見送った）

この文は、アメリカで銃の乱射で子供が数人殺された後、CNN で流れていたニュースです。pull out は引っこ抜くイメージです、つまり取り止めです。pull out の後で省略されている単語は participation（参加）でしょう。つまり、大会の参加を取りやめた。参加は大会に所属している関係と言っていいでしょう。

⑽ Let go of my wife.（俺の妻を放せ）

この文は、ある映画のワンシーンからです。テロリストに妻を人質に取られ、人質を放せと叫んでいる刑事のセリフです。

正確には、Let go her of my wife.（彼女をそのまま進ませろ、私の妻に関して）

こういう文章になります。これはgoの本質的な意味が「進む」ですから、彼女と同一人物の私の妻をそのまま進ませろと言っている文章です。そして、herを省略しています。構造は前述のI warned of the risk.と同じ形です。繰り返しますが、ofの事を「の」としか覚えてないのでしたら、これらの文は、英語を20年勉強しても、理解することはありません。

49. ofについて（2）

もうちょっと説明します。下記の文はよく、教科書にofの説明で出てくる文です。

Wine is made from grapes.（ワインはぶどうから作られる）

This shirt is made of cotton.（このシャツは綿から作られる）

be made fromとbe made ofで〜からだから、fromを使うのはわかるが、ofを使うのはどうしてか。

確かに、この2つの文は両方とも日本語の「から」と訳すとしっくりきます。両方ともfromでいいのではないかと思うかもしれません。しかし、シャツの方は、fromではなくofになります。

fromの本質的な意味は「〜から」基点を表します。この場合のfromはぶどうを基点として、ワインになる様々な製造工程を意図しています。ですから、工程を意図するfromと綿という素材を意図するofは根本的に違っています。シャツは、「同質」である綿という素材で作られるから、ofを使うのです。

The desk is made of the wood.（その机は木で、できている）

机は伐採し、切断した同質の木を使っているので of を使います。

She is of angels.
これはどう訳しますか。
難しく考えないで下さい。最初に書いた a member of the committee と同じ形です。省略された単語を表します。

She is (a member) of angels.（彼女は天使〈の一員〉です）

彼女は天使の集団に「所属」しています。
ちなみに of を表すイメージの絵は、集団の中の一部を表す絵を描けば正解です。

50. by について

この by も辞書には様々な意味が書かれています。その意味のすべてを覚える必要もないし、覚える事は不可能です。

Come and sit by me.（こっちに来て、私のそばに座りなさい）

（～のそばに）という距離が近い事を表す by です。

I have to be home by nine.（９時までに家に帰らなければならない）

（～までに）という期限の意味を表す by です。

この２つの by の意味は、距離が近い、時間が短いイメージなので、覚えやすいのですが、以下の文は、意味がかなり違います。

I go to the school by bus.（私はバスで学校に通学しています）

この文は、みなさんが一番なじみのある（〜によって）を使っています。前述の２つは時間と距離について、範囲を言っているのに、by bus の場合は、手段になります。こうやって意味を１つ１つ覚えるときりがないし、また、たくさん意味を覚える底なし沼にはまります。

やはり、本質的な意味について、by をとらえるしかありません。

by の本質的な意味は何か。それは「最小限の単位」です。

There is a hotel by the river.（川の近くにホテルがある）

by の例文としてよくあげられる文を書きます。この文章は、there を使っているので、相手に対し、初めての情報を与える時に使います（**17** の「**there はいつ使うか**」参照）。そして、相手はホテルに行ったことがなくホテルの情報がない状態で聞くので、話し手は by を使って、川の近くで人が住める最も近い所にホテルがある事を伝えているのです。もし、相手が、大体のホテルの場所を知っているなら、単なる近さを表す、near を使えばいいのです。しかし、ここはあえて、near を使わず、by を使うにはこういう理由があるからです。感覚的には near よりもさらに川に近いことを示しています。つまり、この by は人が川に対して最も接近して住める単位を表しています。

表７（p. 97）で by のイメージを書いたので見て下さい。

The GDP has increased by two percent.
（国内総生産は２パーセント増加した）

この by は何ですか。「よって」ではありません。やはり、これは２パーセント分の増加という単位を表しています。

I know him by name.（私は彼の名前を知っている）

これも、名前によって彼を知っているのではありません。私は彼の名前程度なら知っている。言い換えれば、その程度の付き合いしかない。この name は知っている程度の尺度として使われています。前述の by bus と同じです。あくまで単位ですので、もちろん、a や the はつきません。

This car was washed by machine.（この車は機械によって洗われた）

この by も単位を表しています。訳では機械によって洗われたという事を表していますが、正確には機械レベルの洗車という単位を言いたいのです。機械で洗車された程度のきれいさを言いたいのです。

This car was washed by Taro.（この車は太郎によって洗われた）

この by も「よって」ではなく、太郎の洗車に対する能力を単位として、洗われたという事を表しています。だから、太郎が仮に６歳くらいの子供であれば、その程度の洗車にしかなっていない事を聞き手に伝えたいのです。

He will make progress in speaking English little by little.
（彼は英語を話すことによって、徐々にうまくなるだろう）

これも、little という少しの単位を表しています。

You must hand in your report by next Friday.
（あなたは次の金曜日までにレポートを提出しなければなりません）

この by は、英語の本には、ある時点までの動作の完了を意味するとか難しい説明がされています。しかし、これも単なる単位です。最長、次の金曜日までというレポートの提出期間を表しています。

EU would welcome positive step by China to end the war in Ukraine.
（EUは歓迎するだろう、ウクライナの戦争を終わる目的として中国の肯定的な段階として）

これはCNNで使われていました。EUと中国との会談で、ロシアに対し友好的な中国が、ロシアに対し何も支援しない事、これこそが、ウクライナに対する支援だという事で、EUは歓迎すると言っています。wouldを使っているので、未来から現在を見ています。ここでのbyは、中国の支援のレベルを一種の単位としてとらえています。

英語で書かれた本を読み、byが使われた文が出てきたら、あなたは（～によって）（～まで）（～のそばに）などの日本語をパズルのようにくっつけて訳しますか。もういい加減、止めにしたらどうでしょうか。

51. forについて

次にforです。forの意味を、みなさんは「ために」と覚えていると思いますが、これもforの一部の意味しかとらえていません。
今、私が持っている英文法の本には、forの意味が以下のように書かれています。

⑴ 目的「～の目的で」
What are you doing that for?
（あなたは何の目的でそんな事をするのか）

⑵ 追求「～を求めて」
He is looking for a job.（彼は職を求めている）

⑶ 用途「～のための」

This is a good location for a restaurant.
（ここはレストランに向く場所です）

⑷ 方向「～に向かって」

We leave for Boston tomorrow.（私たちは明日ボストンへ出発します）

⑸ 賛成「～に賛成して」

Are you for the motion, or against it?（動議に賛成ですか、反対ですか）

⑹ 交換「～と引き換えに」

He bought the vase for fifty dollars.（彼はその花瓶を50ドルで買った）

⑺ 代理「～の代わりに」

Please speak for me to the director.（私の代わりに重役に話して下さい）

⑻ 相当「～として」

We mistook her for a waitress.
（私たちは彼女をウェートレスと間違えた）

⑼ 原因「～のために」

The young man was fined for careless driving.
（その青年は不注意な運転のために罰金を払わされた）

⑽ 時間「～の間」

We stayed in Tokyo for two weeks.（我々は、東京に２週間滞在した）

10個書きましたが、実はまだあります。たいへんなので止めました。一体、どこの世界に for の意味を10個覚えられる人がいるのか。

ではforの本質的な意味は何か。それは「見返りを受ける」です。何かをすれば、その分の見返りを受ける事がforの本質的な意味です。

表８（p. 97）にforのイメージを書いたので、見て下さい。

This train is bound for Omiya.（この電車は大宮行きです）（方向）

このforは大宮の「ために」向かう意味での、forではありません。このforは、大宮に向かって、大宮に着いた後「見返り」として、戻ってくる事ができるという意味のforです。簡単に言えば、この電車は、この場所と大宮を往復するという意味です。決して、この電車は大宮のために走っているわけでもないし、大宮が最終地点でそのまま返ってこない事もありません。電車は、廃車にならない限り普通戻ってきます。

I bought this CD for 2,000 yen.
（私はこのCDを2000円で買った）（交換）

このforも「ために」という意味ではありません。forの意味はお金2000円払って、「見返り」として、このCDを手に入れたという意味です。

I got this ticket for nothing.
（私はこのチケットをただで手に入れました）（交換）

このforも「見返り」です。上記の文のforと同じ使い方ですが、0円（nothing）払って、「見返り」としてチケットを手に入れたのです。つまり、無料でチケットを手に入れたのです。

This drug is good for your health.
（この薬はあなたにとっては良い）（対比）

carefullyの位置はどこが正しいですか。

⑴は間違いです。どうしてですか、最初に書きました。副詞は修飾する単語の前後にないといけません。⑴はcarefullyの後ろはsheです。これだと注意深い彼女が運転すると取りかねません。問題は⑵と⑶です。どちらが正しいか。ここで原則に戻ります。話し手は、driveとcarefullyのどちらを言いたいのですか。もちろん、drive運転です。注意深いことを言いたいのではありません。話し手はあくまで、彼女が運転することを伝えて、補足的に注意深いと言っているのです。つまり、副詞の位置は動詞の後ろが原則です。⑶が正解です。

be動詞であっても同じで、be動詞の後ろに副詞が来ます。

The sun was slowly setting in the west.
（太陽はゆっくり西に沈んでいった）

副詞は表す意味から「様態」、「頻度」、「程度」、「場所を表す」、「時を表す」などの種類に分けられます。

⑴ 様態を表す副詞

carefully（注意深く）　clearly（はっきりと）　happily（楽しく）
seriously（真剣に）　slowly（ゆっくりと）　hard（熱心に）
frankly（率直に）　fluently（流ちょうに）　politely（丁寧に）
highly（大いに）

様態の場合、今動いている動詞に対してですから、おのずと動詞に対し補足的に、後ろから修飾します。時系列的に考えれば、前か後ろかという問題は解決します。

She stood quietly by the window.
（彼女は窓の近くに静かに立っていた）

副詞 quietly が stood（立っていた）を修飾して、動詞が際立っています。

I ate my breakfast quickly.（私は急いで朝食を食べた）

副詞 quickly は my breakfast の後になります。ate は他動詞で ate と my breakfast がくっついていないといけないので quickly は my breakfast の後に来ます。

では、どうして英文法の本は動詞の前とか文章の前後とか、いろいろ書いているのか。それは、英文法の説明の悪い所で、例外な事ばかり書いてあると、あたかも例外な事が、正当なように思ってしまいます。

具体的に考えましょう。
あなたの目の前で突然火の手が上がりました。危険な状態です。引火の恐れもあります。あなたのすぐ近くに、恋人がいます。あなたはどうしますか。彼女に何を伝えますか。

Run fast.（走れ、速く）

まずは、恋人を早く逃がさないといけません。当然、「走れ」が最も伝えたい事ですから、run が最初で、それを補足する意味で、run の後に fast がきます。よって、副詞は動詞のすぐ後にくる、これが原則です。
では、例外な事とはどんな事でしょうか。
それは、動詞に対して後から客観的に評価している状況です。つまり、副詞が動詞に対し、頻度や程度を示し、動詞に対し事後的に評価している場合です。

I often get up early.（私はたびたび早く起きる）

この文では、副詞は動詞の後ではなく、前に置かれています。どうしてか。

それは often のような「頻度」の副詞は、今動いている動詞ではなく、何回かその動詞が繰り返されて、その動詞に対する評価だからです。そして、動詞の前に置かれて、その動詞を修飾していますが、この場合、強調したいのは動詞そのものではなく、動詞の「頻度」です。

この文は、起きる事に対して、客観的に、「たびたび」という評価を下しています。この場合、言いたいのは、早く起きる事ではなく、早く起きる事は「たびたび」である事が言いたいのです。英語の基本原則は何ですか。「言いたい事を先に言う」です。それゆえ、often が get up の前に来ているのです。英語の基本原則がここでも使われています。

動詞の評価に関する副詞は、「頻度」や「程度」が多くなり、⑴の「様態」も話し手の主観によっては使われます。しかし、この「頻度」が動詞の前に置かれる事は、実際は例外なのですが、この例外を英文法の本では必ず説明しないといけないので、結果的に通常みたいな扱いになっています。

⑵ 頻度を表す副詞

always（いつも）　usually（たいてい）　often（よく）
sometimes（ときどき）　constantly（絶えず）
continually（断続的に）　never（一度も〜ない）
seldom（めったに〜ない）　occasionally（時折）
once（一度）　periodically（定期的に）
regularly（定期的に）　frequently（たびたび）

My mother is always busy.（母はいつも忙しい）

be 動詞の用法は何ですか。be 動詞は「一般動詞が終了し、静止した状態」ですから、すでに動作は終わっています。つまり、be 動詞を使うという事は、その動詞の評価も終わっています。上記の文だと、母は料理をしたり、洗濯をしたりして、その結果、忙しいという評価をし、静止した状態になった後で、always が置かれるのです。また、文はある程度、時系列に沿って話をしないと相手が混乱してしまうので、be 動詞の後に必ず副詞が来ます。もし、副詞が be 動詞の前にあると、それは、これから動作が起こるように捉えられます。

You can usually find her in the library.
（図書館に行けばたいてい彼女に会える）

助動詞の時も、be 動詞と同じで、助動詞の後に副詞が来ます。助動詞を使うという事は、be 動詞の時と同じでその動詞に対して、事後的な評価が済んで、話し手の期待可能性が生じています。よって、副詞は助動詞の後になります。

⑶ 程度を表す副詞

absolutely（絶対に）　completely（完全に）　greatly（大いに）
quite（かなり）　awfully（ひどく）　barely（かろうじて）
extremely（極度に）　highly（大いに）　just（ちょうど）
kind of（ちょっとの）　largely（主として）　nearly（ほとんど）
almost（ほとんど）　fully（完全に）　entirely（まったく）
rather（なかなか）　slightly（やや）　somewhat（いくぶん）
utterly（まったく）

I completely forgot our appointment.
（私は約束をすっかり忘れていました）

忘れるという動詞の評価として「すっかり」を使っているので、動詞の前に副詞がつきます。

He hardly knows his neighbors.（彼は近所の人をほとんど知らない）

いう時の、「最近」は these days を使います。

55. asの本質的な意味について

ここから、as について、説明をします。as はやっかいな単語です。前述の for のように、副詞の意味もあり、前置詞、接続詞の意味もあります。そして、使われる頻度が非常に高いです。この本は、単語の本質的な意味を理解し、英語を理解する事を目的にしているので、この as を理解しなければ英語をマスターする事に、たどり着くことはできません。

as は前置詞、副詞、接続詞の３つの品詞があります。

as の本質的な意味は何ですか。「原因と結果が同時に起こる」ことです。

英文法の本に書かれている意味を挙げていきます。

⑴ 比較を表す「同じくらい」(副詞)

You can run as fast as Bill can.
(あなたはビルと同じくらい速く走れる)

as fast as の最初の as は副詞です。意味は「ちょうど」です。つまり、あなたの走りとビルの走りが同じ程度です。

⑵ 役割を表す「〜として」(前置詞)

You, as a leader, should behave bravely.
(あなたはリーダーとして勇敢に行動しなければならない)

あなたは勇敢に行動しなければいけないし、「同時に」リーダーとしても行動しなければいけない。

⑶ 様態を表す「〜のように」(接続詞)

He didn't come to the party as I had thought.

(私が思ったように彼はパーティに来なかった)

彼はパーティに来なかった、それは「同時に」私が思った事だ。

⑷ 時を表す「〜と同時に」(接続詞)

As he came home, the phone rang.

(彼が帰ると同時に、電話が鳴った)

彼が来たのと「同時に」、電話が鳴った。

⑸ 比例を表す「〜するにつれて」(接続詞)

As you climb higher, the air gets thinner.

(高く登るにつれて、空気が薄くなる)

あなたが高く登ると、「同時に」空気も薄くなる。

⑹ 理由を表す「〜ので」(接続詞)

As I was tired, I went to bed early.(疲れていたので、早く寝た)

私は疲れていた、帰り着くと「同時に」早く寝た。

⑺ 譲歩を表す「たとえ〜だけれども」(接続詞)

Tired as I was, I went out.(疲れていたけれども、私は出かけた)

疲れていたと同時に、私は出かけた。これは tired を前に出して、譲歩の意味を強調しているだけです。これも意味は「同時に」です。

では下記の文を訳せますか。

As he became richer, he grew more friendly.

訳は後半に書いています。

前置詞として使われるasは「〜として」です。例えば、as a writer（作家として）、as a student（生徒として）これは理解しやすいです。

As he became richer, he grew more friendly.

上記のasは時を表す「〜と同時に」か、比例を表す「〜するにつれて」か、理由を表す「〜ので」か、譲歩を表す「たとえ〜だけれども」のどれに当たるかわかりません。どう訳せばいいのかわかりません。どれが正解なのでしょうか。どれも正解だと思います。なぜなら、「〜ので」も、「〜と同時に」もすべてasの意味ですから、間違っていません。しかし、asが会話で使われた時に、「〜のように」、「〜と同時に」、「たとえ〜だけれども」のどの意味で使われたかと解釈している時間はありません。だから、私たちは、実際の会話において、asが発音された時点でどのような意味で使われているか判断しなければいけません。確かに、文中のasなら、読み直して再度、考える事ができるでしょう。しかし、会話の途中で、振り返ってasの意味について、いちいち考えていたら会話として成立しません。だから、asが使われた瞬間、その意味を理解しないといけないのです。そのためにasの本質的な意味を理解する必要があるのです。

では、このasをどのように理解するのか。この場合、一番意味の範囲が広い「〜と同時に」と理解し、話の流れで、「〜ので」や「〜するにつれて」のどれかと判断すればいいです。重要なのは、asが言われた時、原因と結果が「同時に起こる」と理解することが大切です。この本質的な意味を理解していれば、会話において、asが出た時にいちいち、このasは何のasだろうと考えずに済みます。

さっきのAs he became richer, he grew more friendly.の訳は、彼は金持

ちになった、同時に親しくなった。そして、話の流れで、親しくなったのは、自然とそうなったかもしれないし、あるいは元々利己的な人が、親しくなったという逆説的な意味で使ったのかもしれません。ただ、この文で言える as は金持ちになって、同時に、親しくもなったという事だけです。as の意味が分かっていれば、それしか言えません。「〜だけれども」や、「〜するにつれて」と訳するのは、as だけの内容では、判断できません。それは、話し手の感情や、文脈でしか判断できない話です。as だけでは「同時に」という意味しか訳せないのです。

表９が as のイメージです。原因のギアと結果のギアが「同時に」動き、かみあうイメージです。

風邪ぎみで学校を休もうとする時はその決断に多少の時間が必要です。その場合、使用する接続詞は because です。しかし、夕方、野球をしていて、日が暮れてボールが見えなくなる場合は暗くなるのと同時にボールが見えなくなりますから as になります。

as について、ながながと説明していますが、as はよく使う単語で、

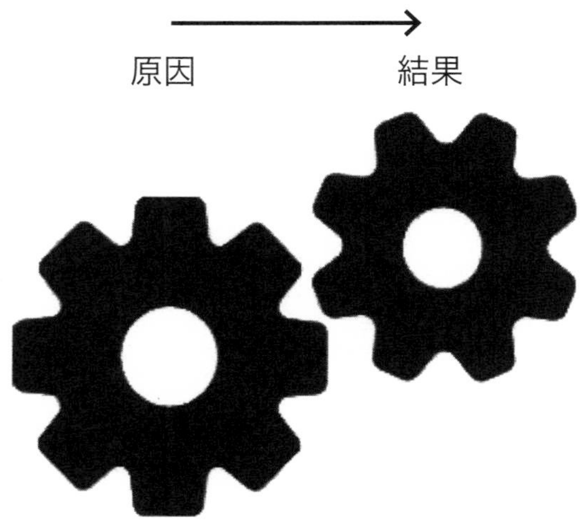

表９　as のイメージ

これが理解できていないとニュースを読むにしても、会話をするにしても、とても不便です。

asの本質的な意味は、前置詞の時も、接続詞で使われる時も、「同時に」という意味です。

Ukraine has lost about 1,300 troops as of today.

この文章は訳せますか。

asは「同時に」という意味です。ofの前には、何か省略されていますね。もちろん、troopsです。多分、この文章の前に、民間人を何人か失い、同時に、今日までの軍隊も1300人失ったとする文でしょう。熟語だと、as ofは（〜において）と覚えます。

（ウクライナは今日までに、1300人の兵士を失った）

Mariupol refuses surrender as Russia's deadline ends.

（マリウポリは降伏を拒絶する、ロシアの最終通告が終了したと同時に）

このasはどう訳すのか、（〜ので）ですか、（〜ながら）ですか、それともロシアが最終通告したにもかかわらず降伏を拒絶したと訳すのですか。私には「同時に」としか、訳せません。

56. as many asはどうして、asを2つつけるのか

最初のasは副詞で「同じ程度」という意味、後ろのasは「同時に動くので」という意味の接続詞です。だから、as many asを正確に訳そうとすると、（同じ程度の数なので）という意味になります。熟語を機械的に、意味を覚えるより、単語に分け、本質的な意味を理解すれば、ほとんど熟語はないと気づきます。

57. as great a writer asはa great writerがどうしてgreat a writerとなるのか

この文で副詞asは何を修飾しようとしていますか。greatです。**53**の「**副詞とは**」で説明した通り、副詞は修飾したい単語の前後につけないといけません。副詞が修飾する単語と離れていたら、わかりづらいです。よって、asのすぐ後に、強調したい形容詞greatが来ることになり、as great a writer asという順番になります。仮に、as a great writerとすると、(偉大な作家として) と解釈され混乱します。

第11章　接 続 詞

58. 接続詞について

接続詞は等位接続詞と従位接続詞の２つに分かれます。
下記が等位接続詞です。

and（そして、〜と）　but（しかし）　or（あるいは）
nor（〜も、〜もない）　for（というのも）

等位接続詞は、日本語の接続詞と考え方が近いので、理解しやすいです。

59. 時間に関する接続詞

従位接続詞には時、理由、結果、目的、条件、譲歩などのいろいろな種類があります。

時に関する接続詞を挙げます。これらは日本語の接続詞と考え方は同じなので特に取り上げません。

when（時・〜とき）　while（時・〜の間）
before（時・〜の前に）　after（時・〜の後で）
since（時・〜して以来）　until（時・〜するまで）
as soon as（時・〜するとすぐに）　once（時・いったん〜すると）
whenever（時・〜するときは必ず）　now that（時・今や〜なので）
every time（時・〜するたびに）

60. 結果、目的、条件、譲歩に関する接続詞

下記の接続詞も例文を見れば、理解できないものはないと思います。

so〜 that（結果・〜なので）
such a 形容詞＋ that（結果・〜なので）

so that（目的・〜するために）

if（条件・もし〜ならば）
unless（条件・もし〜ないならば）

though（譲歩・〜であるけれど）
even though（譲歩・〜であるけれど）
even if（譲歩・たとえ〜だとしても）

61. becauseについて

英語の接続詞は、日本語の接続詞と結びつきやすいので、理解しやすいと思います。しかし、理由を述べる接続詞の because, since, as, for に関しては、違いがはっきりと理解できていないと、いつも、because を使うという事になってしまいます。

because（原因・なぜなら）　since（理由・〜以来）
as（理由・〜なので）　for（理由・というのは）

理由を表す because, since, as, for この４つの本質的な意味を理解して、どう使い分けるかが重要です。

理由を特に聞き手に伝えたい時は、because を使います。

論理的に考えれば、ここまでに私が書いた結論になるし、私はただみなさんが理解できればそれでいいだけです。

同時に、みなさんも論理的に考えて、私がたどり着いたものが正しいかどうか自分なりの答えを見つけて下さい。最後はあなた自身が決めるのです。

口語で使うのは、まれと説明する専門家は、しっかり説明してから、まれと言って下さい。

最後に because, since, as, for の違いがわかるように日本語から書いていきます。

私は遅れた、なぜなら道が混んでいたから。
(I was late because the road was crowded.)

道が混んでいたので、(あなたが知っての通り)、電車で来た。
(Since the road was crowded, I came here by train.)

道が混んでいたので、(同時に)、私は遅れた。
(As the road is crowded, I was late.)

道が混んでいた、というのも、祭りをやるにちがいない。(理由と理由の等位接続詞)
(The road was crowded, for there must be the festival.)

道が混んでいた、そもそも、道が狭い。(結果と結果の等位接続詞)
(The road was crowded, for the road was narrow.)

ここまで、接続詞 for を説明すれば、本質的な意味がつかめるでしょう。

英語は理由を説明する接続詞は、because, since, as, for の４つです。この４つの違いを自分のものにして使い分けて下さい。

63. when と while の違い

when はある程度、長期間の時間、一方、while は短く、限定された時間を意味しています。限定されている時間を表す接続詞ですから、この間だけ、ある動作をやっていた事を表すので、進行形に使われる事が多いです。

だから、本に載っている when の意味は「〜とき」で、while は「〜する間」です。

While you are in Italy, you should visit the Colosseum.
（イタリアにいる間に、コロシアムを見るべきです）

上記のような使い方がされる事が多いです。
しかし、while には下記の意味もあります。

Jack is a huge man, while his wife is a slender little woman.
（ジャックは、大きな男である。一方、奥さんはほっそりとした、小柄な女性だ）

while は、when に比べて、短い時間を指すのは、わかりますが、いっぽう、（一方）という意味もあり、（〜の間）と（一方）という２つの意味が while にあるのは理解が難しいです。

では while の本質的な意味はなんでしょうか。
それは、「〜と同じ時期に」です。

While staying in London, I ate meat.

（ロンドンにいる間に、肉を食べた）ではなく（ロンドンにいた、それと同じ時期に、肉を食べた）という事です。

She was reading a book while I was watching TV.
（私がテレビを見ている間、彼女は本を読んでいた）

while の本質的な意味は、主節で行われている時に、同時に従節も行われていた事を示すのが目的です。つまり、「～同じ時期に」やっていた事が重要なのです。

She loves frogs, while most girls don't like them.
（たいていの女の子はカエルが嫌いだが、彼女はカエルが好きだ）

この文は、彼女はカエルが好きだと言って、たいていの彼女と「同じ年頃」の女の子は、カエルが嫌いだと言っています。

Libya is rich in oil, while Zimbabwe is poor.
（リビアは石油が豊富だが、ジンバブエは貧しい）

対比を表す意味で（一方）という使い方をする時があります。これは、対比を表すのではなく、リビアは石油が豊富だが、「同じ時期に」おける、ジンバブエは貧しいという事実を表しています。

Jack is a huge man, while his wife is a slender little woman.
（ジャックは大きな男である、その同じ時期において、奥さんはほっそりとした、小柄な女性だ）

一方という言い方をすると、対比が強調されますが、while はあくまで、時を表す接続詞ですので、「～と同じ時期に」という時間に関する内容が強調されます。

chapter 12

第12章　仮 定 法

64. 普通の if 文と仮定法の違い

最後に自分が一番書きたかった仮定法を説明します。仮定法は日本人にとって、最も難しいものとされ、高校で習うカリキュラムに入っています。しかし、これからの私の説明を聞けば、小学生でも理解できます。

まず、仮定には直説法と仮定法の２つの分類があります。直説法は普通の if 文です。

If it rains tomorrow, I will stay home.
（もし、明日雨だったら、家にいるでしょう）

これは現実にあり得る話なので、現在から未来を見ます。未来、現在形と自由に使えます。

それに対して、仮定法はあり得なかった事実があったと仮定して、どうなるという話です。だから、現実に起きてない事を話題にします。

If I lived near the sea, I could go swimming every day.
（もし、私が海の近くに住んでいたら、毎日泳ぎに行けるのに）

この話し手は、現実には海の近くには、住んでいません。それで、仮定法を使って、もし、その仮定が実現していたならば、という話をしています。この could は当然未来から現在を見ています。ここまでこの本を読んだ人はすんなりと理解できるでしょう。

65. 仮定法過去と仮定法過去完了の違い

仮定法は、仮定法過去と仮定法過去完了の２種類あります。

仮定法過去は、現在起こっていない事を起こったと仮定して話を進めます。

英文法の本には仮定法に関し、ご丁寧に公式みたいなものが用意されていますが、特に公式を意識しなくても、日本語も同じ考え方をします。例えば、あなたが家を出発して、新宿に着いた時、雨が降ってきたら、何と言いますか。

「傘を持ってきたらよかったのに」

あなたは「よい」とは言わないで、「よかった」という過去形を使います。普通に日本語も過去形で話すのだから、わざわざ公式を用意してもらわなくても私たちは話せると思います。

If I brought an umbrella, it would be good.
（もし、傘を持ってきていたら、よかったのに）

９の「**時間の流れ〜**」で説明したように、時間の流れには２つの流れがあります。仮定法は通常と違う流れに乗って話を進めています。そして、ここで使われる助動詞 would, could, might は、10の「**期待可能性とは何か**」で説明した、80%、60%、30%を示しています。

仮定法過去は現在の事を話していますが、未来に立って、現在を見ているわけですから、時制が下がり、現在の事象を過去形で表します。

それに対し、仮定法過去完了は、過去の事を話していますが、現在から過去を見ているわけですから、時制はさらに下がって、過去の事象を過去完了形で表します。表３「一般動詞の世界」の「逆の流れ」(p. 18) を見て確認して下さい。

英文法の本には、この事を説明するのに、ごちゃごちゃ書いていますが、時間の流れが逆になるという考え方をはっきり説明しない限り、この仮定法を理解するのは困難です。

では、どういう基準で仮定法過去と仮定法過去完了とを使い分けるのか。これに関しては、36の「**過去形と過去完了形の違い**」で説明しています。36で書いた説明は、そのまま仮定法過去と仮定法過去完了の違いに使えます。仮定法は原則、仮定法過去を使います。しかし、話の流れ的に仮定法過去完了にしないと、つじつまが合わない時や、もう済んでしまった事が明白な時には、仮定法過去完了を使います。

具体例を言います。

あなたは今、観光地に来ています。目の前にきれいな湖があります。写真を撮りたいのですが、カメラがありません。「カメラを持ってくればよかったのに」と思います。この場合、使うのは、仮定法過去です。

If I brought my camera, I could take some pictures.
（もし、私がカメラを持ってきていたら、写真が撮れたのに）

観光地から家に帰って、２日後、観光地の写真がない事に気が付きます。そのときは仮定法過去完了です。

If I had brought my camera, I could have taken some pictures.
（もし、私がカメラを持ってきていたら、写真が撮れたのに）

２日後の話ですから、仮定法過去完了にしないと話がおかしくなります。

66. どうしてif I was youではなく、if I were youになるのか

そもそも、この仮定法を教科書や、参考書ではどのように説明しているのでしょうか。仮定法は現実か想像かを区別し、「想像である」場合、時制をずらして表現する。その時の動詞の形が仮定法であると説明しています。そして、「現実の事実と違うことを述べる時は、過去形が使わ

れ、過去の事実と違うことを述べる時は、過去完了を使う」と書かれています。また、「主節の if 文が be 動詞の場合、人称、数に関係なく、were を使うのが原則である。しかし、くだけた言い方では、was を使う事もある」と書いています。なぜ、主語が I で本来、was を使わなければいけないのに、仮定法の時は were になるのか書いていません。歴史の中で変化していったと記載されている本もありますが、歴史の中と言われても今を生きる私たちに理解できるわけありません。

『ハートで感じる英文法』の本では、仮定法を「現実離れ」という聞きなれない言葉で説明しています。私は先生の本を何度読んでも、この「現実離れ」が理解できません。私はハートがないせいか、先生の言う事を感じる事ができません。しかし、この「現実離れ」という言葉で理解できている人がほんとうにいるのでしょうか。

　また、おかしなことに、この仮定法は2021年度から、仮定法過去だけが中学で教えるようになり、仮定法過去完了は高校での課程と区別されています。同じ考え方をするわけですから、一緒に教えればいいのに、わざわざ分ける意味がわかりません。

If I were you, I would apologize to her.
（もし私があなたなら、彼女に謝るだろう）

　どうして、was ではなく、were なのか説明します。

　上記の文は仮定法過去です。現在の事を話していますが、話し手である私は未来に立ち、現在を見ているので、時制が下がり、am ではなく、過去の was を使います。しかし、この文は仮定法ですから、was を使いません。

　表２「be 動詞の世界」（p. 17）を見て下さい。過去の方です。

　円の内側は「あなたが特定できる世界」、円の外側は「あなたが特定できない世界」です。「もし、私があなたなら」という意味は、「あなたが特定できない世界」の事ではなく、「あなたが特定できる世界」の事を話しています。つまり、この円の内側の話をしています。そもそも、この仮定法は、聞き手であるあなたが、話し手の話す内容が実際には起きた、又は起きていない事実を知っているから仮定法が成り立つのです。つまり、あなたが特定できないwasの世界ではなく、あなたが特定できるwereの世界の話をしているのです。だからwasではなくwereを使うのです。

これが、人称、数に関係なく、wereを使う理由です。また、このような仮定法過去の例文には、決まって、if I were youという例文が使用されます。それは、私の話ではなく、あなたの話だという事を明確にするという事と、「もし私があなたなら」という事は、100%仮定の話ですから、この２つの理由でこの例文を多用するのです。

If he were here, he would help me with my work.
（もし彼がここにいたら、私の仕事を手伝ってくれるのだが）

主語がheのパターンでも話をします。この文は誰に向かって言っていますか。彼ですか。いいえ、彼はここにはいません。あなたに対して言っているのです。そして、あなたは、彼がここにいない事を知っています。つまり、「あなたが特定できる世界」の話をしているのです。だからhe wasではなく、he wereになるのです。

ちなみに、if I was youという文も、もちろん使えます。ただし、その場合、仮定法ではなく、wasですので「あなたが特定できない世界」となり、64の「**普通の if 文と～**」で説明した直説法となります。だから、確定した事実の話ではなく、今後どうなるかわからない話なので、従節の文は、客観的な、これから起こる可能性のある言い回しになります。

If I was you, I will accept his offer.
（もし、私があなたなら、彼の要求を受けるだろう）

この場合、直説法ですから、申し出を受ける可能性が80%として、willを使います。

常に if I were you になるわけではありません。話し手が直説法で話そうとするなら、普通に if I was you になります。この文の話し手は自分だったら、申し出を受けるという自分の事を想定して話をしています。つまり、「あなたが特定できない世界」の話をしています。だから be 動詞は was です。

このように仮定法は、誤った解釈で何十年も教えられ、何千万人も誤って、覚えています。まったく悲しい事です。そして、今なお、前述の公式のような誤った教え方が日本中の教室で行われています。

仮定法が使われるのは「聞き手が起こっていない事を知っている場合」です。そして、仮定が現在の事なら、話し手は、未来から話すので、過去形になり、過去の事なら時制が下がり、過去完了になるだけです。たったこれだけです。たったこれだけの事を理解されずに、まるで、算数の公式のように教えられているのです。この悲しい現実から目を背けないで下さい。これは早急に対応すべきです。

実はこの本を書いた本当の理由は、これをみんなに伝えるためです。

この本を読んだあなたが、今までの仮定法の教え方は間違っている、この本に書かれている事が正しいと思ったなら、行動して下さい。知らない人に説明し、誰もが仮定法を理解できるようにして下さい。これは私の願いです。

67. if 主語 were to 不定詞と if 主語＋should の違い

仮定法の章に必ず、例文として、この２つの if 文が載っていますが、この２つをどのような場合に使い分けるかの説明は、まったくわかりません。ちなみに、if it was ではなく、if it were になる理由は、みなさん理解できていると思います。

If you were to write a book, what would it be about?
（もしあなたが本を書くとしたら、何についての本ですか？）

この文は be 動詞＋ to 不定詞を使っています。be 動詞＋ to 不定詞の用法は何ですか。予定、義務、可能、意図、運命です。**38「be 動詞＋ to 不定詞」**で説明しました。そして、be 動詞＋ to 不定詞の本質的な意味も説明しました。「未来、過去を問わず何かに向かう静止状態」です。

この文も be 動詞＋ to 不定詞を使っていますから、本質的な意味は同じです。仮定法だからと言って意味が変わる事はありません。「同じ変化であれば同じ意味」です。

予定での例文です。

通常文　The President is to visit Kyoto today.
（今日大統領は京都を訪問予定になっている）
仮定法　If the President were to visit Kyoto, we could not travel there.
（もし大統領が京都を訪問する予定だったら、我々はそこに行かなかっただろう）

義務、命令での例文です。

通常文　You are to follow my order.
（あなたは私の命令に従わなければならない）
仮定法　If you were to follow my order, you would escape from here.
（もしあなたが私の命令に従ったなら、あなたはここから逃げただろう）

予定、義務、可能、意図、運命の意味で、この if 主語＋ were to 不定詞を使うのであれば、特に問題はありません。

次に If 主語＋ should ＋動詞の原形の文です。

If I should forget to bring my ID card, what should I say at the front desk?

（万一身分証明書を持ってくることを忘れたら、受付で何と言ったらいいのでしょうか？）

あなたが、shouldの用法を「〜すべき」とだけ覚えていたら、どうして、if節でshouldを使うのか理解できないでしょう。

英文法の本を見ると、shouldは「万一〜すれば」という実現の可能性が低い未来の事柄を表すと書いています。可能性とは、個人によって違ってきますので、これでは、いつ使えるのかの説明になっていません。このshouldですが、**11**で説明したようにshouldには一般的見解の意味があります。それとshouldはshallの過去形ですから、未来から現在を見るパターンの時に使います。だから、未来から現在を見た一般的、公的な意味合いの仮定法で使われます。しいて、このshouldを訳せと言うならば、（もし〜だろう〈公的な意味〉）となります。

このif主語＋shouldは公的な意味合いで使われる事が多いです。具体的には、「万一地震が起こった場合」、「火事の場合、ここに避難して下さい」のような公的な文章に広く使用されます。それが、ただ単に、日本語に訳した場合、「万一」という言い方になるだけです。あなたが、日常生活において、公的な意味合いで、shouldを使うのは何ら問題ないです。ただし、扱う内容は個別的な内容ではなく、一般的な内容となります。これは**45「shouldについて」**ですでに説明しています。

話はそれますが、私が働いていた会社で一緒に働いていた女性がいます。気も合っていたし、親しく話をしていました。ある日、些細な事で口論みたいになった時の事です。

「だから、俺、忙しいから、この仕事やっといて」

すると、彼女はすました顔で言いました。

「これは、田中さんの仕事ではないのでしょうか」

「たのむ、手が空いた時でいいからやっといて」

「これは、田中さんが責任を持ってやったほうがいいと思います」

彼女は日頃、私と雑談している時は、タメ口なのですが、少し怒ると、敬語で話しかけてきます。あなたの周りにこんな女性はいませんか。どうして、怒ると敬語になるのか、聞いたことはありません。怖くてとても聞けません。

いつも、タメ口の人が、突然、敬語になると、威圧的な口調にとられます。shouldにもこの感覚があるのです。それゆえ、wouldと同じ文でもshouldを使えば、威圧的な口調になります。それが、「〜すべきだ」という意味になります。そうやって考えれば、前の文のif節のshouldと、whatの後のshouldが同じ意味を持っていることに気が付きます。

そもそも、英語の助動詞と日本語の訳は大きな乖離が見られます。名詞なら、イコールに近い事も起こりえますが、助動詞の場合、助動詞が意味というより、話す人の推定、確信、意志を表し、日本語の訳が、どうしても助動詞の一部の意味しか表せないからです。

If you should meet her again, what would you say to her?
（もし彼女に再び会うことがあれば、彼女に何と言いますか）

もちろん、私的な状況でも、shouldは使えます。しかし、その時のshouldを使う意図は、改まって、問いただすというような少し威圧的な状況の時に使うのです。英文法の例文も公的な文か、上記のような正式に相手の意志を問うような状況が載っています。

68. I wish仮定法過去とI wish仮定法過去完了の違い

wishが過去の場合はどうなるとか考えないで下さい。もちろん、そのパターンもあります。

I wished I would have visited my birthplace.
（私は生まれた場所を訪れたいと願っていた）

こんな文になるのでしょうか。しかし使う状況はほとんどないと思います。I wish で十分です。

I wish を使った時も他の仮定法と同じく、現在の事象の仮定は過去形を使い、過去の事象の仮定は過去完了形を使います。

I wish I knew his phone number.
（彼の電話番号を知っていればなあ）（仮定法過去）

I wish I had studied more in high school days.
（学生時代、もっと勉強していればなあ）（仮定法過去完了）

これだけ理解していれば OK です。

chapter 13

第13章　英語の語順

69. 英語の語順

基本例文の前に、今から英語の文章の単語の並びについて少し説明します。英語の文章の単語の並びは言いたい順というのは、12の「**英語の並びはなんの並びか**」で書きました。では、実際の文章ではどうなるのでしょうか。

言いたい事を先に伝える。場所を伝える。時間を伝える。もちろんYesterday I played. と話をしても意味は通じます。しかし、それはしてはいけません。どこでもいいだろと思うかもしれません。この文章は5文型の第1文型です。S＋Vの形にして、あとは前置詞を使って補足します。

言いたい事を先に伝えて、相手に理解させ、結論を先に言って、あとから補足する。これが英語の語順の考え方です。日本語のように、結論を最後にもってくる考え方はやめて下さい。

場所も狭い範囲から広い範囲へ説明する。つまり、言いたい事を先に伝えるのが基本です。伝える順番は部屋から家、番地、市町村、県、国。

時間についても、同じです。短い単位から長い単位を説明します。

on Sunday in October in 2021は、どうしてこの順番になるか。「言いたい事を先に言う」からです。伝える順番は秒、分、時、日、週、月、年、世紀です。

I will calmly meet you at the cafe in front of the Hotel this evening to get married to you with flowers in my hands.

（私は花束を持ってあなたと結婚するために、今夜ホテルの前のカフェで、静かにあなたに会うだろう）

最後にこの文を書きます。読んだら、以下の事を確認して下さい。

副詞の位置、場所（狭い所から、広い所へ）、時間（短い時間から長い時間）と、to 不定詞、get ＋過去分詞、with の付帯状況。いろいろ用法が入っているので、この文を覚えるだけでも、役に立つと思います。

⑴　主語＋動詞（言いたい事）
⑵　場所
⑶　時間
⑷　to 不定詞
⑸　前置詞

基本的にこの形になるのですが、場所、時間を省略するときは、主語＋動詞の後に to 不定詞が来ます。

第14章　動詞25活用

70. 動詞25活用

ここからは、動詞25活用をマスターするための練習に入ります。

表３の「一般動詞の世界」(p. 18) を見て下さい。

これは、動詞25活用の表にもなっています。上部は話し手の時間の流れが過去から現在、未来という通常の流れ、下部はそれとは逆で、時間の流れが未来から現在、現在から過去です。話し手がどの地点に立つかによって、使う表現が変わります。英語をマスターするとは、この２つの時間の流れを意識して、その状況に適した表現方法ができる事です。

71. 松田家の話

ここから、具体的に松田家の話をしながら、動詞25活用について説明します。

⑴から、⒂までは、通常の時間の流れの中での話なので、理解はしやすいでしょう。⒃からは時間の流れが逆になるので、話し手の感情が表現の中に大きく出てきます。登場人物は松田家の３人です。旅行代理店勤務のヒロシ、その妻ユキ、中学３年生の娘、リサです。

⑴ 過去形

旅行代理店に勤めるヒロシには、リサという中学３年生の娘がいる。

ある日、リサがテレビの前をうろうろしている。この動きは何かヒロシにお願いごとがある時の動きだ。リサがヒロシに話しかけてきた。

「お願いがあるの」

「何かほしいのがあるの？」

「そうじゃないの、お父さんは英語の歌、歌える？」

突然のことにヒロシは驚いた。

ヒロシは大学時代に英会話サークルに入っていたことを思い出した。当時、苦労して覚えたビートルズの『イエスタデイ』を思い出し歌い始めた。

「イエスタデイ」

何とか最後まで歌い切った。

「お父さんすごい、英語の歌が歌える」

When I sang the song written in English last night, she was delighted.
（昨晩私が英語の歌を歌ったとき、彼女は喜んだ）

ヒロシが英語の歌を歌うのは、1回きりの事象なので、過去形を使います。

次の日、ヒロシはふと思った。

「英語の歌ぐらいで喜ばれるのは、悪くないな、けど、リサは学校の英語はどれくらいできるのかな」

⑵ 現在形

その日の晩、ヒロシは娘に聞いた。

「リサは英語の点数、どれくらい取るの」

「だいたい、30点くらいかな」

少しも悪びれることなく答えるリサだった。

愕然としたヒロシはリサに言った。

「テストは100点満点だろ、30点は低すぎだろ」

リサは、きょとんとした表情だった。

「よし、リサ、今日からお父さんが英語を教えてやろう」

リサがあっけにとられた顔をしていた。

それを見ていた妻のユキも同じく、頭を抱えていた。一度言いだしたら、聞かない夫の強情さを知っているからだ。ユキはため息をついた。

その日の晩、ヒロシはリサに英語を教えた。be動詞の活用だ。

「簡単、簡単」軽く答えるリサだった。

He teaches her English tonight.（彼は今夜彼女に英語を教えた）

ヒロシは今夜、リサと英語の勉強をしたので、現在形を使います。

⑶ be going to

毎晩の英語の勉強が続き、最近、リサは少し英語の勉強に飽き飽きしていた。

日曜日の朝、ヒロシがリサに聞いた。

「リサ、今日、何か予定ある？」

リサは答えた。

I'm going to make a cake with mom in the afternoon.
（今日はお母さんと午後にケーキを作る予定だから）

リサは英語の勉強を休みにするため、前もってケーキを作る予定にしたのです。

be going to は期待可能性の気持ちは特にないです。しいていえば100%です。前もって予定されていた動作が、予定通り行われるイメージです。あくまで、go という動詞の進行形ですので、未来を表す助動詞 will, can, may とは内容が違います。

⑷ 助動詞will

また別の夜、ヒロシがリサとユキに聞いた。

「今日は誰が、一番に風呂に入るの？」ヒロシの家では、風呂に誰が最初に入るか特に決まっていない。とりあえず、ヒロシが最後に風呂に入るようになっている。

ユキが素早く答えた。

I will take the bath first.（私が一番に入るよ）

彼女が風呂に入る可能性は、極めて高いので期待可能性80％の will を使いました。

⑸ 助動詞can

その日、リサは部活動でやっている吹奏楽のコンクールで帰りが少し遅くなる予定だった。

ヒロシは勉強がやれるかどうか心配だったのでリサに聞いた。

「今日、英語の勉強できる？」

リサは少し躊躇したが、答えた。

It's OK I can study.（大丈夫だよ、多分やれるよ）

リサはコンクールの後で、後片付けがあるかもしれませんが、そんなには遅くならないと思ったので、やれる可能性は、60％ということで can を使っています。

⑹ 助動詞may

その日、ヒロシは出張で遠方に行く予定だった。

リサがヒロシに聞いた。

「お父さん、今日は何時から英語をやるの？」

「できればいつも通りやりたいけど、いつ帰ってくるか今一つはっきりしないな」

I may teach you English tonight.（今夜、英語を教えるだろう）

出張に行くため、ヒロシは勉強をやる可能性は30％と低いので may を使いました。

⑺ 過去進行形

昨日の夜の事、ヒロシが英語を教えていると、リサの携帯電話に電話がかかってきた。

While he was teaching English last night, her smartphone rang.
（昨晩、彼が英語を教えていた間に、彼女の携帯電話が鳴った）

昨日の夜の勉強している最中ですので、過去進行形を使います。

ヒロシは思った。
「一体、誰が、あんな時間に電話してくるのか」

⑻ 現在進行形

今夜、いつものようにヒロシがリサに英語を教えていた。

When he is teaching her English, his wife starts to talk to him.
（彼が英語を教えている時に、妻が彼に話しかけてきた）

「あなたたち、いつお風呂入るの？」
ヒロシは、内心、それ今聞く必要あるかと思ったが、気にしないそぶりで答えた。
「お前、一番、最初に入りな」
妻のユキは、リサが英語の勉強のせいで寝るのが遅くなり、朝、起こすのが大変になっていたので、イライラしていた。ユキは内心、英語の勉強をやめてほしいと思っていた。

⑼ 未来進行形

ヒロシは、英語の勉強のせいで、ユキの機嫌が悪くなっていることに気がついていた。しかし、自分はリサの事を思って、勉強をしているわけだし、彼女が怒るのは納得がいかない。そこで、ヒロシは考えた。

I will be teaching her English tomorrow, while my wife taking the bath.
（妻がお風呂に入っている間に、明日は英語を教えることにしよう）

明日の事であるのと、同時に妻が風呂に入っている間も継続して勉強する可能性があるので、未来進行形になります。

表３「一般動詞の世界」（p. 18）will be doing の下の can be と may be は、will be に比べると期待可能性が60%、30%と低いです。省略するという意味でカッコにしてあります。この松田家の話では取り上げていません。

⑽ 過去完了形

ヒロシは昨晩の勉強の事を思い出した。
「ちょうどユキが風呂に入っている時に、素早く勉強をすませば、邪魔は入らないな、今後もこの調子で進めよう」と思った。

I had taught her English last night, no disturbing us.
（昨晩、彼女に英語を教えた、邪魔は入らずに）

⑾ 現在完了形

今晩はヒロシの帰りが遅くなった。いつもは、８時から英語の勉強を始めるのだが、帰りが９時になってしまった。帰ってくるなり、ヒロシは言った。

Have you studied English yet?（すでに英語の勉強をした？）

ヒロシの家では英語の勉強は毎晩、習慣的にやっているので、現在完了形を使います。この場合の現在完了形は、習慣という意味で現在と関連しています。

⑿ 未来完了形

今夜も、昨日の夜のようにヒロシはいつもより遅く帰宅した。ヒロシがリビングに入ってくる。リサは、ぼんやりテレビを見ている。

「リサ、もう勉強終わった？」

「終わるわけないよ。お父さんと一緒じゃないと勉強できないし、お父さんが始めるまで待っているよ」

Risa will have waited for Hiroshi by he starts to study.
（リサはヒロシが勉強を始めるまで、待ち続けているだろう）

勉強を嫌がらず、自分を待ってくれていたリサを見て、ヒロシは少し喜んだ。

⒀ 過去完了進行形

ヒロシは風呂から上がり、一息ついてリビングでリサと勉強を始めようとして、大声でリサを呼んだ。

「おーい、リサ、始めるよ」

しかし、リサの反応はなかった。仕方なくヒロシはリサの部屋に入ろうとすると、リサが慌てて部屋から出てきた。

「何をしていたの？」

I had been talking with my grandmother on the phone before your coming into my room.
（お父さんが部屋に入ってくる前、おばあちゃんと電話で話をしていたの）

ヒロシが部屋に入ってこなければ、電話は続いていたと思われるので、進行形を使っています。

「おばあちゃん、何だって？」

「近頃、体調が良くないって」

おばあちゃんは、ヒロシの母親である。
昨日の夜、リサに電話していたのは、ヒロシの母親、おばあちゃんだった。

⒁ 現在完了進行形
「wouldの用法は未来から現在を見て80%だよ」
いつも通り、リサに一生懸命英語を教えるヒロシだった。
「リサ、聞いている？　今日のリサは、ボーッとしているね」

Risa has been listening indifferently while he was teaching her English.
（リサはヒロシが英語を教えている間、ずっと無関心な様子でヒロシの話を聞いていた）

勉強の間、ずっと無関心さが続いていたことを強調するため、完了形ではなく、完了進行形を使います。

⒂ 未来完了進行形
ヒロシはリサに言った。
「この前の試験、英語100点だったらしいな、すごいぞ、リサ」
「そうだね、お父さんのおかげだよ」
しかし、リサはヒロシと視線を合わせず、部屋を出ていこうとした。
気を良くしているヒロシは、そんな事はお構いなしに続けて言った。

We will have been studying English for half a year by the end of October.
（リサ、10月の末でお父さんと英語の勉強をはじめて、ちょうど半年になるな）

ヒロシは10月以降も英語の勉強を続けるつもりだから、これも進行形を使います。
実をいうと、リサは英語以外の教科があまり良くなかったのです。それで、ヒロシに他の教科はどうだったのかと聞かれるのではないかと思い、内心びくびくして部屋を出て行きました。

⑯ 助動詞would（未来から現在を見るパターン）

これからは、時間の流れが逆になります。未来から現在を見ます。

数日後、リサの期末テストが終わった。

リサがユキにテストの結果を見せた。

テストの結果、英語は80点だったが、他の教科はあまり良くなかった。

リサはユキに聞いた。

「お父さん、今日もやっぱり英語の勉強やるって言うよね」

He would teach you English tonight.

（彼は今夜、あなたに英語を教えるだろう）

仮にリサが今日は英語をやめにしたいと思っていても、ユキはヒロシが英語を教える事に一生懸命なので、やるだろうという気持ちで答えています。そこで、ユキはヒロシがやる可能性は80%とし would を使いました。

⑰ 助動詞could（未来から現在を見るパターン）

「充電器どこにある？」ヒロシがユキに聞いている。

ヒロシは明日の出張の用意で忙しそうにしていた。その様子を見て、リサはまたユキに話しかけた。

「やっぱり、お父さん、英語やるって言うよね？」

「どうかな、やるって言うんじゃない」

He could teach you English tonight.

（彼は今夜英語をあなたに教えるだろう）

今度はさらに、ヒロシが出張の用意で忙しい状況です。wouldの時よりも、やらない可能性が幾分高くなりました。それで、ユキはwouldよりも可能性が低い60%のcouldを使いました。同時にユキの「そこまでしてやる必要ある」という気持ちはwouldのときより高くなっています。

⑱ 助動詞might（未来から現在を見るパターン）

また、その翌日の晩に、リサのおばあちゃん、つまりヒロシのお母さんから電話がかかってきた。おばあちゃんが病気で入院した。その状況でも、やはりリサはユキに聞いた。
「この状況でも、お父さんやるって言うかな」
「やるって言うかもね」

He might teach you English tonight.
（彼は今夜あなたに英語を教えるだろう）

さすがに、ユキはやる可能性は低い、30%と判断し、今回はmightを使いました。「やらなければいいのに」という気持ちはさらに高まっています。ここまでくるとユキは半分、あきらめの胸中に入っているのでしょう。

would, could, mightの微妙な違いがわかりましたか。
ヒロシの家で起こっている事は、その家の特有の話なので、would, could, mightのどれを使うかに正解はありません。勉強の重要性はあくまで人それぞれですから、どれを選ぶかは話し手の価値観次第です。

⑲ 助動詞would have＋過去分詞（現在から過去を見るパターン）

12月の中旬、リサが期末テストの結果をヒロシに見せた。ヒロシは驚いた。英語は80点だったが、社会が30点だった。それを見てヒロシは思った。

I would have taught her society at the same time.
（社会もいっしょに教えるべきだった）

ヒロシは学生時代、社会が得意だったので、教えようと思えば教えられた。もったいない事をしたな、と思いました。ヒロシが教えられる可能性は80％と考えられるのでwouldを使います。

⒇ 助動詞could have＋過去分詞（現在から過去を見るパターン）

次の日リサは理科のテストを持って帰ってきた。テストの結果はやっぱり30点だった。ヒロシはまた、思った。「理科も教えればよかったなあ」しかし、ヒロシは学生時代、理科はあまり得意ではなかった。ヒロシはリサに言った。

「やっぱり、理科も教えればよかった」

I could have taught her science.（彼女に理科を教えるべきだった）

ヒロシは学生時代、理科はあまり得意ではありませんでした。それで教えられる可能性はwouldより低くcouldを使いました。期待可能性は60％です。

(21) 助動詞might have＋過去分詞（現在から過去を見るパターン）

また次の日、リサは数学のテストを持って帰ってきた。結果は、また30点だった。それを見たヒロシは思った。

I might have taught her mathematic.（数学も彼女に教えればよかった）

しかし、ヒロシは数学が大の苦手で、リサに教えられる程の学力はありません。教える可能性は低いです。それで期待可能性が低いmightを使いました。ここまでくるとヒロシのとりあえず言っておこうという感じが伝わってきます。

(1)から(21)が時間の流れと期待可能性を考慮した動詞の活用です。一般動詞、助動詞（will, can, may, would, could, might）を使っての表現はこれだけしかありません。

(22)からは時間の流れと異なる観点が加わり表現します。

(22) 助動詞should（一般的見解に立って、未来から現在を見るパターン）

これからは、時間の流れが逆以外の話が加わります。

should は、一般的常識の観点から、今の状態、動作をどうとらえるかと考えます。should を使うか、must を使うかで聞き手のとらえ方が違ってきます。日本人が英語の日常会話ができないのは、このような助動詞の活用ができないからです。

リサは今日までに終わらせないといけない社会の宿題があった。その状況においてもおかまいなくヒロシは聞いた。
「リサ、英語の勉強を９時から始めよう」

I can’t do that. I should finish society’s homework until tomorrow.
（今日はダメだよ。明日までに社会の宿題終わらせないと）

学校の宿題は一般的、公的な圧力でもあるので、should を使います。ここには、期待可能性はなく、should という外からの常識的な圧力です。will, can, may とは性質が違います。**11**の「**should と must の違い**」で説明しています。

(23) 助動詞must（個人的見解に立って、未来から現在を見るパターン）

リサは趣味でギターの練習をしていた。
ヒロシが聞いた。

「リサ、英語の勉強は何時から始める」

I must play the guitar tonight.
（今夜はギターを弾かなくちゃいけないの）

続いて、must です。これは個人的見解から見ているので、must の後の動作も個人的な事象となります。例えば、絵を描く、ギターを弾く、人と会う、練習をするなどです。

㉔ 助動詞should have＋過去分詞（一般的見解に立って、現在から過去を見るパターン）

翌日、社会の授業が始まった時、社会担当の吉田先生が言った。
「それでは、宿題出して下さい」
リサはカバンの中を見たが、宿題が入っていなかった。宿題を忘れてしまった。
先生がリサに言った。「松田さんは宿題忘れたの？」
「あのー、わたしは昨日……」

She should have brought homework.
（彼女は宿題を持ってくるべきだった）

この場合、学校の宿題ですので、個人的な物ではないので should を使い、現在の立場に立ち、過去を見ていますので、過去完了形を使います。

㉕ 助動詞must have＋過去分詞（個人的見解に立って、現在から過去を見るパターン）

みんなが宿題を提出している間、リサは昨夜の事を思い出した。社会の宿題は終わって、カバンに入れようとした時、ヒロシが英語の勉強をしようと言ってきたので、後でカバンに入れようと考え、机の上に宿題をポンと置いた。

I must have placed homework on the desk in my room.
（私は部屋の机に宿題を置いたにちがいない）

これも、現在の立場から過去を見ているので、過去完了形を使います。そして、自分の宿題を机の上に置くという個人的な動作ですので、助動詞は must を使います。

この25個の動詞活用を自由に使いこなせば、英語は話せます。今まで、誰もこれだけ表現方法があるという事を明確に教えなかったと思います。単語を5000個覚えても、助動詞を使って、微妙な意思のニュアンスを伝える事ができなければ、相手ときちんとした会話ができません。

これがゴールです。このゴールのため、毎日、コツコツ練習する。これしかありません。

英文法の本に will の用法と言って、たくさん書いていますが、あんなもの全部覚えられるわけありません。また、実際、外国人と話す時、そのたくさんの用法がいちいち頭に浮かぶわけもありません。頭に浮かぶのは、今、自分が過去、現在、未来のどの位置に立ち、通常の流れか、逆の流れか、期待可能性はどれくらいあるかです。これで文章が成立しています。

多分指摘する人がいると思うので補足します。

前述の助動詞以外にも助動詞があります。

used to～（かつては～したものだ）
need（必要がある）
ought to（～すべきだ）
have to（しなければいけない）

had better（〜すべきだ）
dare（あえて〜する）

これらの助動詞も使用されます。しかし、使用頻度は低いです。それはどうしてか。使う必要性が低いから、使わないのです。

ought to は should に近い助動詞で、should をさらに常識化した助動詞です。だから、should で意味が補えるのであれば、しいて使う必要はありません。助動詞の need も同じ理由で、have to で意味が通れば、need を使う必要がありません。had better にしても強制力の強い言い方なので、would, could で意志が伝われば特に使う必要はありません。使う場合は should に準じて使えばいいだけです。dare も議会で使われるような固い表現ですので、普通の会話では使いません。知っていれば、それでいいだけの助動詞です。

英文法の本の中には、might は特殊な部類に入るから使うことは少ないと書いている本がありますが、いいえ、使います。

あと、should の現在形で shall がありますが、現在では should の現在形としての使われ方というより、法律用語や、格式重視の場合でしか使用されていないので、ここでは取り上げていません。

当面はこれらの助動詞 will, can, may, would, could, might をしっかり使えるようになることが先決です。

第15章　基本例文

72. 基本例文の説明

これから、基本例文を覚えます。70個あります。

この本の目的は、70個の基本例文を使って単語の置き換えができて文が作れる事、25の動詞活用がすぐにできるようになる事です。

動詞の活用は全部で25個、毎日作ります。

単語を3000個知っているからと言って、英語が話せるようにはなりません。もちろん、知っているに越したことはありませんが、言語なので、あくまで、英語で意思疎通ができることが目的です。そのためには、正しく表現ができることが大切なのです。この25個以外に表現方法はありません。

73. 25活用の説明

74「基本例文の英文」（p. 169）の70個の例文のうち、丸印でくくったものが、動詞を25個活用するための文章です。1過去形から、25 must have ＋過去分詞まで、動詞を25個活用します。

表10の「活用表」を用意しています。

最初は、25にたどり着くまでに時間がかかると思うので、表を見ながら、暗唱して下さい。

すべての動詞で25個の表現ができるわけではありません。例えば、受動態の未来進行形、未来完了進行形は使いません。未来進行形はwillに含まれ、未来完了進行形は未来完了形に含まれます。また、動詞そのものの意味が動作の継続の意味でしたら、完了形にはならないし、同じように終了を意味している動詞でしたら、未来進行形には、なりません。ただ、そこで、そうならない事を理解してほしいのです。理解したならば、逆に、継続を意味する動詞で完了形を使えば、そこでわざわざ完了形を使う意味を表す事ができます。終了を意味する動詞を進行形で使えば、そこで使うなりの意味を表せます。

最初の動詞は「家族１」の③の tell です。この tell を過去形にします。tell の過去形は told です。日本語の訳は、ニュアンスを表すために強引に付けましたので、参考程度にして下さい。

１過去形：My father told me to study hard.
（私の父は、私に勉強しろと言った）
２現在形：My father tells me to study hard.
（私の父は、私に勉強しろと言う）
３be going to：My father is going to tell me to study hard.
（私の父は、私に勉強しろと言うだろう〈期待可能性100％〉）
４will：My father will tell me to study hard.
（私の父は、私に勉強しろと言うだろう〈期待可能性80％〉）
５can：My father can tell me to study hard.
（私の父は、私に勉強しろと言うだろう〈期待可能性60％〉）
６may：My father may tell me to study hard.
（私の父は、私に勉強しろと言うだろう〈期待可能性30％〉）

７過去進行形：My father was telling me to study hard.
（私の父は、私に勉強しろと言っていた）
８現在進行形：My father is telling me to study hard.
（私の父は、私に勉強しろと言っている）
９未来進行形：My father will be telling me to study hard.
（私の父は、私に勉強しろと言っているだろう）

can と may は will で意味がもう分かっていると仮定し、あえて暗唱しなくていいです。

（My father can be telling me to study hard.）

		家族1	家族2	学校1	学校2	友人	会社	事故
1	過去	told	traveled	got	was established	gave	broke	appreciated
2	現在	tell	travels	gets	is established	give	break	appreciate
3	be going to (100%)	am going to tell	are going to travel	are going to get	are going to be established	are going to give	are going to break	are going to appreciate
4	will（80%）	will tell	will travel	will get	will be established	will give	will break	will appreciate
5	can（60%）	can tell	can travel	can get	can be established	can give	can break	can appreciate
6	may（30%）	may tell	may travel	may get	may be established	may give	may break	may appreciate
7	過去進行	was telling	was traveling	was getting	was being established	was giving	was breaking	was appreciating
8	現在進行	is telling	is traveling	is getting	is being established	is giving	is breaking	is appreciating
9	未来進行	will be telling	will be traveling	will be getting	(will be being established)	will be giving	will be breaking	will be appreciating
10	過去完了	had told	had traveled	had gotten	had been established	had given	had broken	had appreciated
11	現在完了	have told	has traveled	has gotten	has been established	has given	has broken	has appreciated
12	未来完了	will have told	will have traveled	will have gotten	will have been established	will have given	will have broken	will have appreciated
13	過去完了進行	had been telling	had been traveling	had been getting	had been being established	had been giving	had been breaking	had been appreciated
14	現在完了進行	have been telling	has been traveling	has been getting	has been being established	has been giving	has been breaking	has been appreciated
15	未来完了進行	will have been telling	will have been traveling	will have been getting	(will have been being established)	will have been giving	will have been breaking	will have been appreciating
16	would（80%）	would tell	would travel	would get	would be established	would give	would break	would appreciate
17	could（60%）	could tell	could travel	could get	could be established	could give	could break	could appreciate
18	might（30%）	might tell	might travel	might get	might be established	might give	might break	might appreciate
19	would have	would have told	would have traveled	would have gotten	would have been established	would have given	would have broken	would have appreciated
20	could have	could have told	could have traveled	could have gotten	could have been established	could have given	could have broken	could have appreciated
21	might have	might have told	might have traveled	might have gotten	might have been established	might have given	might have broken	might have appreciated
22	should	should tell	should travel	should get	should be established	should give	should break	should appreciate
23	must	must tell	must travel	must get	must be establish	must give	must break	must appreciate
24	should have	should have told	should have traveled	should have gotten	should have been established	should have given	should have broken	should have appreciated
25	must have	must have told	must have traveled	must have gotten	must have been established	must have given	must have broken	must have appreciated

受動態の場合、未来進行形、未来完了進行形は使われない。未来進行形は will に含まれ、未来完了進行形は未来完了形に含まれるから。

表10　活用表

（My father may be telling me to study hard.）

10過去完了形：My father had told me to study hard.
（私の父は、私に勉強しろと言っていた）
11現在完了形：My father has told me to study hard.
（私の父は、私に勉強しろと言った）
12未来完了形：My father will have told me to study hard.
（私の父は、私に勉強しろと言っているだろう）
（My father can have told me to study hard.）
（My father may have told me to study hard.）

13過去完了進行形：My father had been telling me to study hard.
（私の父は、私に勉強しろと言い続けていた）
14現在完了進行形：My father has been telling me to study hard.
（私の父は、私に勉強しろと言い続けていた）

15未来完了進行形：My father will have been telling me to study hard.
（私の父は、私に勉強しろと言い続けることになる）
（My father can have been telling me to study hard.）
（My father may have been telling me to study hard.）

ここから時間の流れが逆になります。
未来から現在を見ます。
16 would：My father would tell me to study hard.
（私の父は、私に勉強しろと言うべきだ〈期待可能性80％〉）

17 could：My father could tell me to study hard.
（私の父は、私に勉強しろと言うべきだ〈期待可能性60％〉）

18 might：My father might tell me to study hard.

（私の父は、私に勉強しろと言うべきだ〈期待可能性30％〉）

現在から過去を見ます。

19 would have：My father would have told me to study hard.
（私の父は、私に勉強しろと言うべきだった〈期待可能性80％〉）

20 could have：My father could have told me to study hard.
（私の父は、私に勉強しろと言うべきだった〈期待可能性60％〉）

21 might have：My father might have told me to study hard.
（私の父は、私に勉強しろと言うべきだった〈期待可能性30％〉）

ここからは時間基準ではなく、倫理基準となります。
一般的見解で、未来から現在を見ます。

22 should：My father should tell me to study hard.
（私の父は、私に勉強しろと言うべきだ）

個人的見解で、未来から現在を見ます。

23 must：My father must tell me to study hard.
（私の父は、私に勉強しろと言わなければならない）

一般的見解で、現在から過去を見ます。

24 should have：My father should have told me to study hard.
（私の父は、私に勉強しろと言うべきだった）

個人的見解で、現在から過去を見ます。

25 must have：My father must have told me to study hard.
（私の父は、私に勉強しろと言うべきだった）

毎朝、これだけの文章を暗唱して下さい。

月曜日に「家族１」の丸印が付いている③の動詞、tellで25個の活用をしました。火曜日は、「家族２」の②です。travelで25個の活用をします。水曜日は「学校１」の⑩ですから、getですね。それで、月曜から日曜までやります。最初はきついかもしれませんが、２回目以降は、やり方も慣れてくるので、だいぶ楽になると思います。暗唱するときは、ただ単に言うだけではなく、状況を思い浮かべて、暗唱して下さい。必ず、毎日やって下さい。

表10の「活用表」（p. 165）で「家族１」から「事故」までの、活用を書いています。見て下さい。ちなみに、「友人」の③は文章が３つありますが、３番目の文章の動詞giveでやって下さい。慣れるまでは、表を見て暗唱して下さい。

毎日、過去形から始まり、最後のmust have ＋過去分詞まで暗唱します。

非常に地味で苦痛な練習ですが、続けるしかありません。

動詞を活用しているときは、**71**の「**松田家の話**」を思い浮かべてほしいです。この動詞はこういう気持ちで、使っていると感じて下さい。そうでないと、同じ状況になった時に、すばやくyou might tell me to study hardが出てきません。何度も書きますが、常日頃から練習していないと、本番で使える事はありません。あなたは「松田家の話」で、mightがいかなる状況で使われるか理解しています。もし、疑っている人がいたら、あなたが持っている洋書の最初から最後までwouldやshould haveを探して、wouldが未来から現在を見ているか、確かめて下さい。100％その使い方をしていると思います。

これがゴールです。あなたは今ゴールにたどり着いたのです。毎日、動詞を25個活用して下さい。新しい動詞を覚えた時に、その動詞で25個の活用をして下さい。そうすれば、その動詞は必ず使えるものになっています。使わない単語など、覚える必要はありません。遭遇した時に覚えればいいのです。

英語はあくまで意志伝達の手段で、学問ではありません。相手に伝えたい事を、限られた表現方法で相手に伝える事ができれば、それでいいのです。

74. 基本例文の英文

ここで、基本例文の記憶の仕方について説明します。記憶の基本は反復継続ですが、強く記憶に残らせるため、様々な関連、連想で記憶を強くします。

覚えるまで、必ず、毎朝、基本例文を70個暗唱して下さい。通学、通勤の間、口に出して言います。頭の中で考えてはいけません。必ず、口に出して下さい。単語を変えてもいけません。自己流の文章を作るようになったら、次の日はやらなくなります。次の日も同じ事をします。最初は30分かかるかもしれません。しかし、毎日、暗唱していたら、必ず早くなります。慣れれば10分程度で終わります。絶対に違う文章にしないで下さい。

基本例文70個の暗唱が終わったら、その日にやる25個の動詞活用を行って下さい。もし、70個が終わらなければ、途中でこの25個の動詞活用をやって下さい。毎朝、繰り返して下さい。数字を丸印でくくられているのが、25個の動詞活用するための例文です。

基本例文は覚えやすいように、簡単なストーリーにしてあります。記憶をもっと強く印象づけるため自分にあったこじつけを考えてもいいです。自分の過去の思い出と関連させるのも、いいと思います。基本例文を深く記憶に定着させるためですから。

「家族１」のストーリーです。

ここは私の生まれ育った家です。叔父はかつて毎週日曜日にジョギングをしました。父は勉強しろ、と言います。母親は他人に親切にしろ、それはいい事だと私に度々助言します。よく食べよく寝ることは重要だと言います。祖父母は長生きしてほしい。私は妹のローラより身長は高いが泳ぐのはローラの方が速い。なんて良いスイマーなの。彼女は一日、どれだけ泳ぐのか。彼女が私の肩を叩きながら、私に言います。「あした晴れたら、プールに行かない？」私は確信します。ローラがプールで泳ぐのは簡単です。

こんなストーリーで10個の文章を暗記して下さい。

家族1

1 This is the house in which I was born and grow up.

2 My uncle used to go jogging every Sunday.

③ My farther tells me to study hard.

4 My mother often advises me that being kind to others is a good thing.

5 It is important to eat and sleep well.

6 I want grandparents to live forever.

7 I am taller than Laura but she can swim faster than I.

8 What a good swimmer she is. How long does she swim a day?

9 She pats me on the shoulder. "Can you go swimming with me if it is sunny tomorrow?"

10 I am sure that it is easy for Laura to swim in the pool.

続いて「家族２」です。

次は私の兄の話が中心です。問題児です。彼の名前はヒロトです。海外に友人がいて、両親が同意するかどうかにかかわらず、学生時代に海外旅行をすると言っています。コロナウイルスの数が急激に増加していますが、海外旅行を計画しています。やめろと言ったのですが、彼は目をつぶってまったく聞いていません。おまけに、腕を組んで、足を組んで。我々がいくら言っても、彼は考えを変えません。この状況を少しは考慮すべきです。彼は私よりも注意深いのに。年を取るにつれて、頑固になっていきます。理由は知っています。彼は好きな有名な作家が住んでいた町に行ったことがあり、そこで感動したのです。私もジョン・グリシャムの本はおもしろいし、好きです。ところで、あなたが最も尊敬する作家は誰ですか。

家族２

1　Hiroto seems to have many friends abroad.

②　He travels abroad in his school days whether our parents agree or not.

3　Though the number of coronavirus cases is rapidly increasing, he planned.

4　He paid little attention to me with his eyes closed, folding his arms, crossing his legs.

5　Whatever we say, Hiroto however won't change his mind.

6　He should have been more consideration of this situation.

7　He is more careful than I. But the older he gets, the more stubborn he is.

8　When he visited the town where the famous writer had lived, he was impressed.

9　I like John Grisham whose books are very interesting.

10　Who is the writer whom you respect most?

「学校１」です。

私の学校は1532人の生徒がいます。私は３カ国語話せます。ある日、将来の夢をクラスメートの前で発表する事になり、私は日本でポルトガル語を教えたいと言いました。フランス語で書かれている小説を読むのが、趣味だと発表しました。すると、ユイが私に言いました。「勉強しろ、できる限り、明日のテストのために」ユイはつい最近、テストの点が上がったので、昼も夜も勉強したにちがいありません。彼女の言う事は何でもいつも正しいです。今度は卓也が、発言しました。「すみません、中国語の学び方を教えて下さい」彼は私をからかいました。すると先生が怒りました。人をからかうのはやめろ。先生は２人に掃除をさせました。先生の授業はこわいので、ユイの食欲を失わせます。もちろん、先生の授業で寝る人はほとんどいません。

学校１

1　There are as many as 1532 students in this school.

2 My dream is to teach Portuguese in Japan.

3 My hobby is reading novels written in French.

4 Yui said to me. "You should study as hard as you can for tomorrow's test."

5 She must have studied day and night.

6 Whatever she says is always right.

7 "Please tell me how to learn Chinese." He makes fun of me.

8 The teacher gets angry. He made two students clean the classroom.

9 His lesson causes her to lose her appetite.

⑩ Few students get sleep in his class.

「学校２」です。

学校は2012年12月21日に創立されました。私は、友人の卓也が競技場で走っているのを見ます。私は思います、彼はクラスの誰よりも速く走る事ができます。卓也と同じくらいの速さで走る生徒は学校にはいません。しかし、彼はよく自慢話をします。この時計は君の時計の３倍の値段だ。嘘であることは明白です。これが、我々が彼を信用できない理由なのです。ユイは運動会で一等賞をとって喜んだ。私も運動能力を発達させるために何をすればいいのか。とりあえず、インターネットで調べようと思いネットを見始めたが、すぐにネットでジムの会員の申し込みはできないとわかった。インターネットは世界中の人々をつなげるために使われている。

学校２

① The school was established on December 21 in 2012.

2 I saw a friend running in the field.

3 I think that Takuya can run faster than any other students in his class.

4 No other students in my school can run as fast as Takuya.

5 This watch is three times as expensive as your watch.

6 It is clear that he is telling a lie. This is why we don't trust him.

7 Yui was happy to win the first prize on the sports day.

8　What should I do in order to improve my physical ability?
9　I started to watch the Internet, but soon found it impossible to apply for a gym membership.
10　The Internet is used to connect with people all over the world.

「友人」です。

友人の卓也が私の脇腹を小突きながら、話がある。彼女が病院に入院して２カ月が経つ。大した事はない。けど、俺はジムに行かなければいけない。どうだい、トレーニングしよう。機会を与えるよ。ちょっと待て、自分が君の立場なら、すぐ、彼女に会いに行くし、そして、謝るよ。すると卓也は言った。病院には行ったよ。そしたら、偶然にも、俺が、おととい腹の検査をした病院と同じ病院だった。医者はまるで、俺たちの事を何でも知っているかのようにしゃべる。医者は、彼女を治すには25万9000円以上かかると言ってきた。ふざけやがって、２年前、そんな金があれば、車が買えたのに。彼女は卓也を直視した。彼の顔を怒り心頭して殴った。あなたにとって、たいした事ではないかもしれないけど、一つ質問していい。私に対するあなたの愛って何なの。

友人

1　Takuya jabbing me in the ribs, I have a lot of things to tell you.
2　It has been two months since she hospitalized. It's nothing serious.
③　I must go to the gym. Let's do training. I give you a chance.
4　If I were you, I would go to see her soon and apologize her.
5　Accidentally I had my stomach checked at the same hospital the day before yesterday.
6　The doctor talks as if he knew everything about us.
7　It costs more than 259,000 yen to treat her.
8　If I had had such a money, I could have bought a car two years ago.
9　She faced him. She slapped his face in anger.
10　It could seem silly to you, but can I ask one question? What about your

love for me?

続いて「会社」です。

私は始発電車に乗るために早起きをした。バスを待つよりむしろ歩く方がよい。駅までは歩いて９分かかります。電車はずっと混んでいた、ほとんど身動きできない程に。会社についてパソコンを起動させる。パスワードが長すぎて思い出せない。パソコンがうまく動かないので壊した。上司が私の名前を呼んでいるのが聞こえる。俺が何を意味したいかわかるか。ドアを開けっぱなしにするな。外は寒いぞ。すると、同僚が「ヒーターをつけてもよろしいでしょうか」と上司に聞いた。彼女は会社で最も賢い女性です。

会社

1 I get up early so that I can catch the first train.

2 I would rather walk than wait for the bus.

3 It takes me about nine minutes to walk to the station.

4 The train is so crowded that I can hardly move all the way.

5 The password is too long to remember.

⑥ I break my PC because it doesn’t work well.

7 I heard my boss call my name from his desk. Do you know what I mean?

8 Don’t keep the door open. It is cold outside.

9 A colleague asked him. “Would you mind my turning on the heater?”

10 She is the smartest woman in the office.

最後は「事故」です。

ケガをした少女は私にとても親切です。たとえ、若くても、彼女は有能である。私は彼女と初めて会った日を忘れない。あなたはローラの歌を称賛する。何人かは言うかもしれない。彼女の歌が日本中で愛される。彼女が交通事故で死んだニュースを知ったときはショックだった。私の父は雨が強く降らない限り、歩いて会社に行く。父が彼女を殺した。あの悲惨な事故がなければ、彼女は成功していただろう、歌手として。彼女は私に言った。「どんなに辛くても、それをやり遂げるべき」あなたは若いのだから、そのままにしないで、あなたの好きなようにしなさい。私は望む、彼女を助ける事ができるのであれば。

事故

1　The girl who gets injured is very friendly to me.
2　Even if she is young, she is competent.
3　I never forget the day when I first met her.
④　You appreciate Laura's songs. Some might say her songs are loved all around Japan.
5　I was shocked at the news that she had been killed in the road accident.
6　My father walks to work unless it rains heavily.
7　Without the miserable accident, she would have succeeded as a singer.
8　She said to me. "However tough it is, you have to complete it."
9　As you are young, don't leave it as it is, do as you like.
10　I wish I would have saved her.

以上の70個です。70個なら最初から最後まで暗唱する事は可能でしょう。70個が無理でも、１日１つの固まりで構いません。大切なのは毎日やることです。

75. 基本例文の訳

続いて訳を書いていきます。
カッコの中は文法上の分類を示しています。

家族１　訳

1　これが私の生まれ育った家です。（前置詞＋関係代名詞）
2　私の叔父はかつて毎週日曜日にジョギングをしていた。（助動

詞・used to）

③ 私の父は私に一生懸命勉強しろと言う。（S ＋ V ＋ O ＋ to 不定詞・tell）

4 私の母は、よく私に他人にやさしくすることが大切だとアドバイスをする。（advice ＋人＋ that 節）

5 よく食べて寝ることが大切だ。（it is ＋形容詞＋ to 不定詞）

6 私は祖父母が長生きすることを願っている。（S ＋ V ＋ O ＋ to 不定詞）

7 私はローラよりも背が高いが、ローラは私より速く泳げる。（比較・比較級）

8 何て、よいスイマーなの。彼女は一日どれくらい泳ぐの。（感嘆）（疑問詞）

9 彼女は私の肩を叩いた。「明日天気がよければ、プールに行かない？」（S ＋ V ＋ O）

10 私は確信する、彼女がプールで泳ぐのは簡単だ。（I am 形容詞）（it is ＋形容詞＋ for ＋人＋ to 不定詞）

家族２ 訳

1 ヒロトは海外にたくさんの友達がいるようだ。（seem ＋ to 不定詞）

② 彼は両親が同意しても、しなくても学生時代に海外旅行をする。（副詞）（接続詞・whether）

3 コロナ感染者の数が急速に増えているが、彼は計画した。（接続詞・though）

4 彼は私の言う事を聞かない、目を閉じて、腕を組んで、足を組んで。（否定）（付帯状況）

5 私たちが何と言おうとも、ヒロトは自分の考えを変えないだろう。（関係詞・whatever）

6 彼はこの状況をもう少し考慮すべきだと思う。（仮定法・過去完了）

7　彼は私よりも注意深い。しかし、彼は年をとればとるほど、頑固になっていく。(比較・比較級)
8　彼はその有名な作家が暮らしていた町を訪れた時、感動した。(関係副詞・where)
9　私はジョン・グリシャムが好きだ、彼の本はとても面白い。(関係代名詞・所有格)
10　あなたが最も尊敬する作家は誰ですか？（関係代名詞・目的格)

学校１　訳

1　この学校は1532人の生徒がいる。(比較・原級)
2　私の夢は日本でポルトガル語を教えることです。(be動詞＋to不定詞)
3　私の趣味はフランス語で書かれた小説を読むことです。(動名詞)
4　ユイは私に言った。「あなたは明日のテストのためにできる限りがんばって勉強すべきです」(助動詞・should)
5　彼女は昼も夜も一生懸命勉強したにちがいない。(助動詞・must)
6　彼女の言う事は、いつも正しい。(接続詞・whatever)
7　「どうぞ、中国語の学び方を教えて下さい」彼は私をからかった。(疑問詞＋to不定詞)
8　先生は怒った。彼は２人の生徒に教室を掃除させた。(使役動詞)
9　彼の授業は彼女の食欲を失わせる。(無生物主語)
⑩　彼の授業で寝る生徒はいない。(否定)

学校２　訳

①　この学校は2012年12月21日に建てられた。(受動態)
2　私は競技場で走っている友達を見た。(知覚動詞)
3　私は思う、卓也はクラスの誰よりも、足が速い。(比較・比較級)
4　学校の中で卓也と同じくらいの速さで走れる生徒はいない。(比較・原級)
5　この時計は、あなたの時計の３倍の値段だ。(比較・as〜 as)

6　彼が嘘をついているのは明らかだ。だから、我々は彼を信用できない。（it is ＋形容詞＋ that 節）
7　ユイは運動会で一位になってうれしかった。（to 不定詞・副詞的用法）
8　身体能力を上げるために、私は何をしたらよいだろうか。（to 不定詞・副詞的用法）
9　私はインターネットを見始めた。しかし、すぐにジムの会員に申し込むのはできないとわかった。（find it ＋形容詞＋ to 不定詞）
10　インターネットは世界中で人々につながるために使われている。（受動態）

友人 訳

1　卓也が私の脇腹を小突きながら、私は君に話すことがたくさんある。（to 不定詞・形容詞的用法）
2　彼女が入院して２カ月が経つ。大したことはないけど。（接続詞・since）
③　私はジムに行かなければならない。さあ、トレーニングしよう。チャンスを与えるよ。（S ＋ V ＋ O）
4　もし、私があなたなら、私はすぐ彼女に会いに行って、謝るだろう。（仮定法・過去）
5　偶然にも、私はおととい、同じ病院で腹の検査をした。（使役動詞）
6　その医者はあたかも、私たちの事は何でも知っているかのように話す。（仮定法・過去）
7　彼女を治療するのに、25万9000円以上かかる。（cost ＋金額＋ to 不定詞）
8　２年前にそんな金があったら、車が買えたのに。（仮定法・過去完了）
9　彼女は彼を直視した。彼女は怒って彼の頬を殴った。（S ＋ V ＋ O）

10　あなたにとっては愚かなことかもしれない。しかし、一つ質問していいですか？　私に対するあなたの愛は何ですか？（助動詞）

会社　訳

1　私は朝早く起きて、それで始発電車に乗ることができる。（接続詞・so that 節）
2　バスを待つよりむしろ歩きたい。（助動詞・would）
3　私が駅まで歩いたら、約９分かかる。（take ＋人＋時間＋ to 不定詞）
4　電車はとても混んでいてずっと動けなかった。（接続詞・so〜 that 節）
5　パスワードが長すぎて、覚えられない。（too〜 to 不定詞）
⑥　私はパソコンを壊す。なぜなら、よく動かないからだ。（接続詞・because）
7　私は上司が彼の机から、私の名前を呼んだのを聞いた。私の言う事がわかるかい？（知覚動詞）
8　ドアを開けっぱなしにするな。外は寒い。（S ＋ V ＋ O ＋ C）
9　同僚が彼に聞いた。「ヒーターをつけましょうか？」（丁寧）
10　彼女は会社で一番賢い女性です。（比較・最上級）

事故　訳

1　ケガをした少女は私にとても親切だった。（関係代名詞・主格）
2　たとえ彼女が若くても、彼女は才能がある。（接続詞・譲歩）
3　私は初めて彼女に会った日を忘れない。（関係副詞・when）
④　あなたはローラの歌を評価する。ある人々は彼女の歌は日本中で愛されると言うだろう。（S ＋ V ＋ O）（受動態）
5　私は彼女が自動車事故で死んだ知らせに驚いた。（同格の that 節）
6　私の父は、雨が強く降ってない限り、歩いて仕事に行く。（接続詞・unless）
7　その悲惨な事故がなければ、彼女は歌手として成功していただろ

う。（仮定法・過去完了）

8　彼女は言った。「どんなに辛くても、あなたはそれをやり遂げないといけない」（接続詞・譲歩）

9　あなたは若いのだから、そのままにするな、あなたの好きなようにしろ。（接続詞・as）

10　彼女を救うことができたならよかったのに。（仮定法・過去完了）

これから、各文の説明をします。それと同時に置き換え用の単語も書くので、置き換えの文が思いつかない時は参考にして下さい。文を作ったら、あなたのノートに書いて、1週間後に見直しをして下さい。自分で理解し、自分で考えて文を作り、繰り返し暗唱する。必ず声に出して下さい。

月曜の朝、「家族1」から暗唱する。tell で25個の動詞活用を暗唱する。

火曜の朝、「家族2」から暗唱する。travel で25個の動詞活用を暗唱する。

水曜の朝、「学校1」から暗唱する。get で25個の動詞活用を暗唱する。

木曜の朝、「学校2」から暗唱する。be established で25個の動詞活用を暗唱する。

金曜の朝、「友人」から暗唱する。give で25個の動詞活用を暗唱する。

土曜の朝、「会社」から暗唱する。break で25個の動詞活用を暗唱する。

日曜の朝、「事故」から暗唱する。appreciate で25個の動詞活用を暗唱する。

動詞活用については表10の「活用表」（p. 165）を参考にして練習して下さい。

次の月曜日はまた「家族1」からの繰り返しです。

7つの固まりを作ったのは、各曜日に必ず、決まった固まりをやるようにするためです。

英語は集中的にやっても身に付きません。毎日、少しの時間でも話す、聞く、書くことが重要です。

76. 基本例文の置き換え

家族1　1　This is the house in which I was born and grow up.

関係代名詞の前に前置詞があるパターンです。文の単語の並びは何の順番ですか。言いたい順ですね。関係代名詞は、言いたい事を先に言って、あとから説明を追記する形です。この文の言いたい事は家なので、家を先に言って、生まれ育った事をあとから説明しています。

この文は This is the house. と I was born and grow up in the house. が合体しています。

置き換え（前置詞＋関係代名詞）

This is the office at which I work.（私が働いている職場です）

This is the citizen hall at which you take the exam.
（あなたが試験を受ける市民ホールです）

This is the factory at which the products was made.
（その製品が作られる工場です）

家族1　2　My uncle used to go jogging every Sunday.

助動詞の used to です。意味は「かつて〜していた」です。

置き換え（助動詞）

be ought to（〜すべきだ）　need（〜する必要がある）　had better（〜すべきだ）　have better（〜した方がよい）

had better と have better の違いは、ここまで読んだ人ならわかりますね。had better は未来から現在を見ているので、have better より残念な気持ちが強く、高圧な気持ちです。それに対し、have better は単なる現在形なので、やった方がいいだろうという軽い気持ちです。熟語として覚えるより論理的に理解しましょう。

家族１　3　My father tells me to study hard.

tell ＋ O（人）＋ to 不定詞の形を取り、tell の所で様々な動詞が使えます。同じ形式の動詞として、expect, advice, allow, ask などたくさんあります。単語を置き換えて文を作って下さい。

置き換え

expect ＋人＋ to 不定詞（人に to 不定詞を期待する）

want ＋人＋ to 不定詞（人に to 不定詞を求める）

warn ＋人＋ to 不定詞（人に to 不定詞を警告する）

ask ＋人＋ to 不定詞（人に to 不定詞を求める）

order ＋人＋ to 不定詞（人に to 不定詞を命令する）

allow ＋人＋ to 不定詞（人に to 不定詞を許可する）

force ＋人＋ to 不定詞（人に to 不定詞を無理やりさせる）

request ＋人＋ to 不定詞（人に to 不定詞を期待する）

persuade ＋人＋ to 不定詞（人に to 不定詞を説得する）

require ＋人＋ to 不定詞（人に to 不定詞を要求する）

家族１　4　My mother often advises me that being kind to others is a good thing.

advise ＋人＋ that S ＋ V の形です。

置き換え

suggest him that S ＋ V（彼に S ＋ V を示唆する）

order me that S ＋ V（私に S ＋ V を命令する）

propose me that S ＋ V（私に S ＋ V を提案する）

demand me that S ＋ V（私に S ＋ V を要求する）

insist me that S ＋ V（私に S ＋ V を主張する）

いつも that の形をとるのではなく、that を省略する場合もあります。that をつけるのは、that 以下を強調したい時です。

often（たびたび）頻度を表す副詞の置き換えです。

置き換え（副詞・頻度）

almost always（ほとんどいつも）　usually（たいてい）　sometimes

（時々） rarely（めったに〜ない） never（一度も〜ない） every month（毎月） twice a week（週に２回）

副詞は基本原則に従って、修飾される単語の後につけないといけません。しかし、これらの副詞は、動詞の評価を表しているので、動詞の前でも構いません。**53**の「**副詞とは**」参照。

家族１　5　It is important to eat and sleep well.

この文章の主語は it です。そして、この it は仮主語で to 以下を表しているのではありません。たまたま、to 以下の（よく食べよく寝ること）を主語にすると話がつながるからそうしただけです。

最初に書かれている it は、it であり、to 以下を表していません。

言葉の原則として、聞き手は、話し手が話した順にその言葉を理解することが求められます。後で言うことを最初に戻って理解する事はありません。

It is sunny today.（今日はいい天気です）

天気はどこにあるかわかりません。天気はあなたのわからない世界のものです。同じく、時間もどこにあるかわかりません。時間もあなたがわからない世界のものだから、it を使います。天気、時間で使う it と、この It is important to eat and sleep well. の it は同じ it です。同じ it ですから、この it とあの it で表す内容が違うことはありません。だから、厳密にこの文章を訳すと、(今からあなたが特定できない世界のことを話します。重要です。よく食べ、よく眠ることは)。

it に関しては、すでに **8** の「**it とは何か**」で説明しています。

置き換え (形容詞)

bad（ひどい） careless（不注意な） polite（礼儀正しい） cruel（残酷な） bold（大胆な） selfish（利己的な） stupid（愚かな） wicked（意地の悪い） wise（賢明な） clever（賢明な） foolish（愚かな） silly（愚かな） honest（正直な） good（よい）

家族1　6　I want grandparents to live forever.

これは先ほど出た tell ＋人＋ to 不定詞のパターンと同じです。

置き換え

command ＋人＋ to 不定詞（人に to 不定詞を命令する）

direct ＋人＋ to 不定詞（人に to 不定詞を命令する）

invite ＋人＋ to 不定詞（人に to 不定詞を誘う）

remind ＋人＋ to 不定詞（人に to 不定詞を思い出させる）

compel ＋人＋ to 不定詞（人に to 不定詞を無理やりさせる）

urge ＋人＋ to 不定詞（人に to 不定詞を促進する）

get ＋人＋ to 不定詞（人に to 不定詞をさせる）

家族1　7　I am taller than Laura but she can swim faster than I.

みんなの嫌いな比較です。確かに日本語の逆の順番になるので、日本人にはなかなか使えません。使う時のイメージとして、英語の基本原則、「言いたい事を先に言う」このイメージを持って下さい。私は、高い、比べて、ローラに。しかし、ローラはできる。泳ぐ。速く、比べて、私に。こんなイメージです。言いたい事を先に言う。これが原則です。英文を何度も繰り返し、英文を当たり前にするしかありません。

置き換え

be 動詞 younger than she（彼女より若い）

play tennis better than Ann（アンよりテニスが上手だ）

be 動詞 larger than Japan（日本より大きい）

be 動詞 fatter than Jim（ジムより太っている）

be 動詞 older than he（彼より年を取っている）

be 動詞 deeper than that lake（あの湖より深い）

get there earlier than we had expected（予想より早く着いた）

be 動詞 higher than that mountain（あの山より高い）

be 動詞 happier than in my school days（学生時代より楽しい）

be 動詞 colder than that country（あの国より寒い）

be 動詞 cheaper than that house（あの家より安い）

比較に関し、英文法の本には様々な表現が書かれています。しかし、使うのはそんなに多くありません。最上級にしても、日常で使うのは、highest か best ぐらいです。一生懸命覚えても使わないというのが現実です。

no more than と not more than の違いについて、覚えようとしても無意味です。そんな言葉を使う場面は、たぶんありません。

家族１　8　What a good swimmer she is. How long does she swim a day?

how には３種類の用法があります。

方法を聞く　how to（どうやって）（疑問副詞＋ to 不定詞）
程度を聞く　how many（いくつ）（疑問副詞＋形容詞）
様子を聞く　how about（どうですか）

程度の聞き方はたくさんあります。

置き換え（疑問副詞＋形容詞）

how old（何歳）　how long（どれくらいの長さ〈時間、物〉）　how tall（どれくらいの身長）　how large（どれくらい大きい）　how far（どれくらい遠い）　how deep（どれくらい深い）　how wide（どれくらいの幅）　how often（どれくらいの回数）　how soon（あとどれくらいの長さ〈時間〉）　how high（どれくらいの高さ）　how much（いくら）　how fast（どれくらいの速さ）　how thick（どれくらいの厚さ）　how round（どれくらいの長さ〈胴回り〉）

家族１　9　She pats me on the shoulder. “Can you go swimming with me if it is sunny tomorrow?”

if を使った現実に起こるかもしれない話は、直説法と言って、通常の時制で表現します。現実に起きる可能性があるので仮定法とは違います。この文の if は直説法です。

置き換え

if it is cloudy（もしくもりだったら） if it is rainy（もし雨だったら） if it is windy（もし風が強かったら） if it is humid（もし湿っていたら） if it is dry（もし乾燥していたら） if it is wet（もし湿っていたら） if it is stormy（もし嵐だったら） if it is snowy（もし雪だったら）

家族１　10　I am sure that it is easy for Laura to swim in the pool.

置き換え

I am afraid that S ＋ V（私は心配している S ＋ V）
I am sure that S ＋ V（私は確かだ S ＋ V）
I am sorry that S ＋ V（私は残念だ S ＋ V）
I am surprised that S ＋ V（私は驚く S ＋ V）
I am disappointed that S ＋ V（私は失望する S ＋ V）
I am happy that S ＋ V（私は楽しい S ＋ V）
I am aware that S ＋ V（私は気づく S ＋ V）
I am proud that S ＋ V（私は誇る S ＋ V）
I am confident that S ＋ V（私は自信がある S ＋ V）
I am keen that S ＋ V（私は熱望する S ＋ V）
I am careful that S ＋ V（私は気をつける S ＋ V）
I am certain that S ＋ V（私は確信がある S ＋ V）
I am conscious that S ＋ V（私は気づいている S ＋ V）
I am convinced that S ＋ V（私は確信している S ＋ V）

家族２　1　Hiroto seems to have many friends abroad.

この文章は時制を意識すれば、４パターンの表現方法があります。

⑴　Hiroto seems to have many friends abroad.（現在）（現在）
（ヒロトは外国にたくさんの友達がいるらしい）

⑵　Hiroto seems to have had many friends abroad when he was young.（現在）（過去）

（ヒロトは若いころ外国にたくさんの友達がいたらしい）

⑶　Hiroto seemed to have many friends abroad.（過去）（現在）
（ヒロトは外国にたくさんの友達がいるらしかった）

⑷　Hiroto seemed to have had many friends abroad when he was young.
（過去）（過去）
（ヒロトは若いころ外国にたくさんの友達がいたらしかった）

ここまで読んだ人は、⑶の（過去）（現在）は文法的におかしいと気づくと思います。seemedが過去ならば、to haveは過去になってないといけないので、現実的にはありませんが、to haveが、to beの形でしたら、be動詞は静止した状態ですから、

He seemed to be busy.（彼は忙しいようだった）
このパターンはあり得ます。

⑷の（過去）（過去）の後ろは、過去完了になってto had hadにならないとおかしいと思う人もいるかもしれません。**36**の「**過去形と過去完了形の違い**」を参照。しかし、toの後はhaveしかつきません。だから、この表現しかできません。もっともtoの本質的な意味が未来過去を問わず「向かう」ですから、過去に向かってさえいればいいのですから、別に気にする話でもありません。**37**の「**toについて**」参照。

置き換え（たまたま、偶然）

He appears to be angry.（彼は怒ったように見える）
I happen to see him.（たまたま彼に会った）
The man chanced to be a doctor.（その男はたまたま医者だった）

家族２　2　He travels abroad in his school days whether our parents agree or not.

abroad（外国に）は副詞です。

置き換え（接続詞・whether）

whether he resign or not（彼が辞任すべきかどうか）
whether it is sunny or rainy（晴れていようが、雨が降ろうが）
whether good seats are still available（いい席がまだ取れるかどうか）

家族２　3　Though the number of coronavirus cases is rapidly increasing, he planned.

置き換え（譲歩を表す接続詞）

although S ＋ V（S ＋ V であるけれども）
even though S ＋ V（S ＋ V であるけれども）
even if S ＋ V（S ＋ V であるけれども）

家族２　4　He paid little attention to me with his eyes closed, folding his arms, crossing his legs.

置き換え（否定）

never（ない）　no（ない）　none of（〜ない）　hardly（ほとんど〜ない）　scarcely（ほとんど〜ない）　barely（ほとんど〜ない）

付帯状況には with でくっつけるパターンと分詞構文でくっつけるパターンがあります。

置き換え（with の場合）

with the engine running（エンジンをかけたまま）
with the TV on（テレビをつけたまま）
with your mouth full（口いっぱいにして）
with his hands in his pockets（両手をポケットに入れたまま）

置き換え（分詞構文）

looking out of the window（窓の外を見ながら）
feeling tired（疲れていたので）
listening to the radio（ラジオを聴きながら）

れからもやるだろう」です。初めて小説を読む人は、趣味が小説を読む事にはなりません。小説を読んだ事がない人が My hobby is to read novels. と書いたら、どんな意味になりますか。私の趣味はこれから小説を読む事ですと話したら、頭がおかしい人じゃないかと思われます。この文も、当然、過去にやった事が述語になります。

動名詞だけを目的語に取る動詞があります。これは動詞の内容が、過去にすでにやった事のある事柄を前提にしているからです。

具体例です。admit smoking（喫煙を認める）は、過去にタバコを吸っていないと認める事はできません。今までタバコを吸ったことのない人に、喫煙を認めるか、認めないかの話はできません。動名詞をとるか、とらないかはその動詞の内容次第です。

昔、予備校に通っていた頃、講師が動名詞のみを目的語とする動詞の覚え方を「メガフェプスダ」と教えていました。そんな事を教えてどうするのかと思いました。話をする時、いちいち、その「メガフェプスダ」を言うのか。一応書いときます。各単語の先頭の英字をつなげて作られています。

mind, enjoy, give up, admit, finish, escape, postpone, stop, deny, avoid

置き換え（動名詞だけを目的語にとる動詞）

enjoy singing（歌う事を楽しむ）

avoid calling（電話を避ける）

consider traveling（旅行をよく考える）

finish cleaning the room（部屋の掃除をやめる）

学校１　4　Yui said to me. “You should study as hard as you can for tomorrow’s test.”

should は、**11**で説明したように、一般的公的なニュアンスがあります。ここは教室内で、私が発表している状況なので、公的な雰囲気があります。

置き換え

Let me know as soon as possible.（できる限り早く教えて）（早さ）

Let you know as far as I know.
（私が知っている限りの事を知らせる）（範囲）
You can stay as long as you can.
（あなたは可能な限り滞在できる）（期間）
You can watch TV as often as you can.
（何度もテレビを見ることができる）（頻度）

学校１　5　She must have studied day and night.（助動詞）

must は過去形がないのは、11の「**should と must の違い**」で説明した通りです。

置き換え構文

You must have shared.（あなたは共有しなければいけなかった）
You must have added.（あなたは加えなければいけなかった）
You must have adapted.（あなたは適応しなければいけなかった）

学校１　6　Whatever she says is always right.（複合関係代名詞・whatever）

この whatever は２つの意味があります。１つは「〜するものは何でも」、もう１つは「何が〜しようとも」譲歩の意味です。この文は「〜するものは何でも」の方です。

置き換え

Whatever you excuse is bad.（あなたが言い訳するものは何でも悪い）
Whatever you break is to be repaired.
（あなたが壊したものは何でも修理しなければいけない）
Do whatever you want.（あなたが好きな事は何でもやりなさい）

学校１　7　“Please tell me how to learn Chinese.”（疑問詞＋to不定詞）
He makes fun of me.

疑問詞と to 不定詞がくっつき、名詞句になります。

置き換え

how to use（どのようにして使うか）

which bus to take（どのバスに乗ればいいのか）
where to move the desk（どこに机を置けばいいのか）
when to wake up（いつ起きればいいのか）
who to choose（誰を選べばいいのか）

make fun of me の of は**48**の「**of について（1）**」で説明した of です。fun と me は同質になっています。正確に訳したら、こうなります（彼は強制的に笑いものにした、私を）。もちろん、he makes me fun でも通じます。しかし、ここは同質の of を使って多少、いやみを薄くしたのかもしれません。日本語の訳としたら、この of は「〜に関して」という言い方でもいいと思います（彼は笑いものにした、私に関して）。

学校１　8　The teacher gets angry. He made two students clean the classroom.

使役動詞には、make, let, have があります。この動詞は使役動詞＋O＋動詞の原形で「〜させる」という意味になります。ただし、この３つの動詞は意味合いが多少異なります。

make は（強制的に〜させる）という意味、let は（本人の望むように〜させる）という意味、have は（当然〜させる）という意味です。

The police officer made the man wait in the room.
（警察官は男を部屋に待たせた）
My farther let me use his car.（父は私に車を使わせた）
I had the waiter bring me a glass of water.
（ウェイターに水を１杯持ってきてもらった）

どうして使役動詞には to がつかないかわかりますか。それは、距離が近いからです。the police の文で wait の前に to をつけるほどの時間がないので省略したのです。**29**の「**使役動詞について**」を参照。

The teacher gets angry. も The teacher gets (to be) angry. の形で、正確に訳

すと「先生は怒ることを外から得た」。この場合、to be は当然のことなので、省略して gets angry となったのです。**20**の「**get の本質的な意味**」参照。

置き換え

She gets sick.（彼女は病気になる）　She got married.（彼女は結婚した）

He gets drunk.（彼は酔っぱらう）　He got defeated.（彼は負けた）

置き換え

He made me take care of her.（彼は私に彼女の世話をさせた）

He let me drive his car.（彼は私に車の運転をさせた）

I have my secretary send you a report.
（秘書にレポートを送らせましょう）

学校１　9　His lesson causes her to lose her appetite.

無生物主語です。主語が人以外で、「〜させる」という意味になります。これは日本語も同じ考え方をするから理解しやすいでしょう。

置き換え

The pride enabled him to enter the college.（誇りが彼を大学に行かせた）

The rain prevented us from going.（雨が私たちの行くことを妨げた）

This bus will take you to the station.
（このバスがあなたを駅に連れて行くでしょう）

学校１　10　Few students get sleep in his class.（否定・形容詞）

英語は言いたい事は最初に言うという原則があるため、最初に much, little, a few などの数量の表す形容詞が来ることがあります。この考え方は日本語にはないので、何度も暗唱して身につけるしかありません。

置き換え

a few（少しの）　few（ほとんどない）　only a few（ほんの少し）

a little（少しの）　little（ほとんどない）　only a little（ほんの少し）

every（どの）　a lot of（多くの）　plenty of（多くの）
several（いくつかの〈３つ以上〉）

置き換え

Nothing changes my world.（何もない私の世界を変えるものは）
None of answers is correct.（正しい回答はない）
Most people like music.（たいていの人々は音楽が好きです）

学校２　1　The school was established on December 21 in 2012.（受動態）

置き換え

The song was composed.（その曲は作曲された）
I was invited.（私は招待された）
The bridge was built.（橋は作られた）
The shop was closed.（店は閉まっていた）

学校２　2　I saw a friend running in the field.（知覚動詞）

see, listen, hear など、どうして知覚動詞には前置詞 to がつかないのか。それは近いからです。知覚動詞（see, hear）が感じた瞬間、動作が終わっているので、あえて to をつける意味がないので、to を省略しているのです。**27**の「**知覚動詞について**」参照。

置き換え

I listen her playing the guitar.（ギターを弾いている彼女を聴いている）
I hear my girlfriend cry all night.
（一晩中、私の恋人が泣いているのを聞いた）
I feel my heart beating.（私は心臓がどきどきしているのを感じる）
I notice her come.（彼女が来ることに気づく）
I observe a worm eat.（虫が食べるのを観察する）

I see a friend running in the field.（友達が競技場で走っているのを見る）
I see a friend run in the field.（友達が競技場で走っているのを見る）

この文章の違いがわかりますか。上のrunningの方は、走る姿の一部、目にした瞬間的な光景です。それに対し、下のrunの方は一部始終を見ているイメージです。正確に訳すと（友達が競技場で走るのを最初から最後までずっと見ている）。**28**参照。

学校２　3　I think that Takuya can run faster than any other students in his class.

比較に関してもそうですが、英語は必ず前から理解していかなければいけません。この文も頭のなかでは、「卓也はより速く走れる」「よりも（くらべて）」「ほかの生徒」「彼のクラスの」という文章を作らなければいけません。すぐにはできませんが、何度も繰り返すしかありません。

I think that S ＋ V のパターンはたくさんあります。置き換えは一部です。

置き換え

I feel that S ＋ V（私は感じる S ＋ V）
I believe that S ＋ V（私は信じる S ＋ V）
I doubt that S ＋ V（私は疑う S ＋ V）
I learn that S ＋ V（私は学ぶ S ＋ V）
I know that S ＋ V（私は知る S ＋ V）
I find that S ＋ V（私は見つける S ＋ V）

置き換え

taller than I（私より高い）
heavier than I（私より重い）
earlier than usual（いつもより早い）
more interesting than that（あれより面白い）
smaller than that（あれより小さい）
less expensive than that（あれより高くない）

学校２　4　No other students in my school can run as fast as Takuya.

これも最初に言いたい事を述べています。

置き換え

No one in his class is as tall as Takuya.

（タクヤと同じくらいの背の高さの人はクラスにいない）

Nobody in her office is as big as Yoko.

（ヨーコと同じくらいの大きさの人は会社にいない）

No country in the world is as large as Russia.

（ロシアと同じくらいの大きさの国は世界にない）

置き換え

as old as（同じ年）　as well as（同じくらい上手）　as tall as（同じ高さ）

as long as（同じ長さ）　as wide as（同じ幅）　as thick as（同じ厚み）

学校２　5　This watch is three times as expensive as your watch.

倍数を表す。

置き換え

five times as weight as（５倍の重さ）

about twice as long as（約２倍の長さ）

half as much as（半分の量）

学校２　6　It is clear that he is telling a lie. This is why we don’t trust him.

he is telling の意味は今、嘘をついているのではなく、彼は日頃から嘘をついているという意味です。**34**の「**進行形の本質**」参照。

it is～ that S ＋ V の置き換え構文は以下です。ちなみに、it is～ to～の形はとれません。

置き換え

it is said that S ＋ V（S ＋ V と言われている）

it is thought that S ＋ V（S ＋ V と思われている）

it is natural that S ＋ V（S ＋ V は自然だ）

it is strange that S ＋ V（S ＋ V は変だ）

it is surprising that S ＋ V（S ＋ V とは驚く）
it is true that S ＋ V（S ＋ V とは確かだ）
it is clear that S ＋ V（S ＋ V は確かだ）
it is apparent that S ＋ V（S ＋ V は明らかだ）
it is certain that S ＋ V（S ＋ V は確かだ）
it is evident that S ＋ V（S ＋ V は明らかだ）
it is impossible that S ＋ V（S ＋ V は不可能だ）
it is likely that S ＋ V（S ＋ V はあり得る）
it is less likely that S ＋ V（S ＋ V はあり得ない）
it is obvious that S ＋ V（S ＋ V は明らかだ）
it is plain that S ＋ V（S ＋ V は明らかだ）
it is possible that S ＋ V（S ＋ V は可能だ）
it is probable that S ＋ V（S ＋ V は多分あり得る）
it is well-known that S ＋ V（S ＋ V は周知だ）

学校２　7　Yui was happy to win the first prize on the sports day.

to とは厄介な前置詞です。訳として目的とか場所を指し示す「に」をあてはめれば、意味が通じます。しかし、この文の to のように、to 不定詞の副詞的用法の目的、原因、理由、結果については理解に苦しみます。それでは、to の本質的な意味は何か？

それは、「過去、未来を問わず、ある方向に向かう」です。つまり、何かの目的に向かってさえいれば、to を使えるのです。

原因を表す to の例文としてよく使われるのが、

I am glad to see you.（あなたに会えてよかった）

この場合の to は感情の原因を表す to と説明されていますが、どうして to を使うのか、それは to が未来、過去にかかわらず、ある方向に向かっているから使えるのです。

この場合、うれしいのは過去にあなたに会ったという動作があったからで、それは、原因というより過去の動作に向かっているだけなのです。つまり、「未来過去を問わず、向かって」いればこのtoが使えるのです。**37**の「**to について**」参照。

置き換え

She is pleased to hear it.（彼女はそれを聞いて喜んだ）

He is disappointed to find it.（彼はそれを見て失望した）

We are delighted to see it.（我々はそれを見て喜んだ）

学校２　8　What should I do in order to improve my physical ability?

置き換え

what should I do（何をすればいいのか）（一般的なニュアンス）

what will I do（何をすればいいのか）（実際できる可能性80%）

what can I do（何をすればいいのか）（実際できる可能性60%）

what must I do（何をすればいいのか）（個人的なニュアンス）

みなさんはすでにこの本を読んでいるので、この文の違いを意識できるはずです。

学校２　9　I started to watch the Internet, but soon found it impossible to apply for a gym membership.

itはあなたが特定できない世界の対象物です。英文法的にitはto以下を指しています。

置き換え

think it easy to understand（理解することは簡単と思う）

realize it easy to understand（理解することは簡単とわかる）

regard it good to understand（理解することは良い事とみなす）

find it hard to go（行くのに大変なのがわかる）

take it for granted that S ＋ V（S ＋ V を当然と思う）

make it a rule to run（走る事をルールにしている）

consider it a rude to keep people waiting

（人を待たせる事は無礼と思っている）

make it a clear what we have to do（何をすべきかはっきりさせる）
think it necessary that S ＋ V（S ＋ V をする必要がある）

学校２　10　The Internet is used to connect with people all over the world.
受動態の文です。
置き換え
The novel was written by him.（その小説は彼によって書かれた）
The car was polished by him.（その車は彼によって磨かれた）
The tank is filled with gasoline.（タンクはガソリンでいっぱいです）

下記の surprise は他動詞で「驚かす」という意味です。それが受動態になった時、「驚く」になります。be 動詞の本質的な意味は「一般動詞が終了し、静止した状態」ですから、一般動詞で「驚かされて」、be 動詞がつくことで「驚く」という静止した状態になります。その他の感情を表す受動態も考え方は同じです。
置き換え（感情を表す受動態）
be surprised at（〜に驚く）　be amazed at（〜に驚く）
be satisfied with（〜に満足する）　be married to（〜と結婚している）

友人　1　Takuya jabbing me in the ribs, I have a lot of things to tell you.
人に衝撃を与える動詞です。動詞＋人＋前置詞＋体の部分。通常、この形で書きます。
置き換え
hit him on the head（頭を叩く）
kick him on the back（背中を蹴る）
punch him on the cheek（ほほを殴る）

友人　2　It has been two months since she hospitalized. It's nothing serious.
（接続詞・時）
接続詞 since の本質的な意味は「（それ）以来＋（あなたが）知ってい

るので」です。

置き換え

when（〜時）　while（〜の間）　before（〜の前）　after（〜のあと）
as（〜するとき）　until（〜するまで）　once（いったん〜したら）
every time（〜するときはいつでも）

置き換え

I went to the shop while you got sleep.
（あなたが眠っている同時期に、私は店に行った）

I went to the shop before you got sleep.
（あなたが眠る前、私は店に行った）

I went to the shop as you got sleep.
（あなたが眠っていると同時に私は店に行った）

友人　3　I must go to the gym. Let's do training. I give you a chance.

let's は let us の省略形です。

置き換え

let's wait（待ってみよう）　let's not discuss（話しあうのはやめよう）
let's watch（見てみよう）　let's talk about it（それについて話そう）

友人　4　If I were you, I would go to see her soon and apologize her.

仮定法過去です。どうして if I was ではなく、if I were になるのかは、もう理解したでしょう。

置き換え

if I were a bird,（もし私が鳥ならば、）
if I were a scientist,（もし私が科学者ならば、）
if it were not for music,（もし音楽がなかったなら、）

友人　5　Accidentally I had my stomach checked at the same hospital the day before yesterday.

副詞が先頭に来ています。**53**で副詞は文章のどこでも入れる事ができる便利な品詞と書きました。しかし、どこでもいいという事はありません。英語の基本原則として修飾する単語は、修飾される単語の前後でないといけません。そうしないと相手が理解しづらくなります。accidentallyは文の先頭にきています。ということは、話し手は一番これを強調したいのです。もし、accidentallyが文の最後に来ていたら、それは付け足し程度の意味だということです。下記の副詞は意味的に文の全体を修飾するので文章全体の前後につくことが多いです。

置き換え

luckily（幸運にも） unfortunately（不運にも） clearly（明らかに） foolishly（愚かにも） naturally（当然にも） surprisingly（驚くことに） certainly（確かに） possibly（ひょっとすると） apparently（見かけは） basically（基本的に） fortunately（幸いなことに） wisely（賢明なことに） probably（多分）

友人　6　The doctor talks as if he knew everything about us.

仮定法過去です。

主節はtalksですので現在形です。if節は現在の事を仮定で話しているので、過去になっています。if節が明らかに過去の事の仮定であれば、過去完了となります。

置き換え

I feel as if I had a horrible nightmare.（まるで恐ろしい悪夢を見たようだ）

He speaks as if he knew nothing about the accident.
（彼は事故について何も知らないように話した）

It looks as if the castle had been built in the cloud.
（城はまるで雲の中に建てられたかのように見える）

友人　7　It costs more than 259,000 yen to treat her.

it costs ＋（人）＋費用＋ to 不定詞の構文です。

置き換え

It costs me about 58 dollars per a day to rent a car.

（車を借りるのに１日あたり58ドルかかる）

It costs 110 yen to borrow a book.（本を借りるのに110円かかる）

It costs 8,700 yen to get a ticket.（チケットを買うのに8700円かかる）

友人　8　If I had had such a money, I could have bought a car two years ago.

仮定法過去完了です。現在の立場から２年前の事を見ています。期待可能性は60％です。いままで英語の文を算数みたいに考える事はなかったと思いますが、この本を読んだのですから、その発想を持って下さい。

これから、洋書を読んだ時、would, could, might に遭遇したら、話し手は未来から現在を見て話をしているか、確認して下さい。

置き換え

if I had been rich,（もし金持ちだったなら、）

if I had been free,（もし暇があったなら、）

if I had known her address,（もし彼女の住所を知っていたら、）

友人　9　She faced him. She slapped his face in anger.

彼女は彼の方を向いた。S ＋ V ＋ O の第３文型です。

この face は名詞ではありません。顔を向けたという動詞です。このように名詞のイメージが強い単語も動詞として使われます。**15「動詞と名詞の２つの～」**を参照。

置き換え

hold him by the arm（彼の腕をつかむ）

take him by the arm（彼の腕をつかむ）

hit him in the nose（彼の鼻に一撃をくらわす）

友人　10　It could seem silly to you, but can I ask one question? What about your love for me?（助動詞）

置き換え

what を含む慣用句です。

what for（なんだってそんなことを）

what if（どうですか）

what does it look like（どんな外見ですか）

what will become of〜（〜はどうなるのだろう）

what did I tell you（私の言ったとおりだろう）

I'll tell you what（いい考えがある）

what's up（どうしたの）

いろいろあるので、調べて下さい。

会社　1　I get up early so that I can catch the first train.

so that は目的を表す接続詞です。

置き換え

I get up early so that I calmly eat breakfast.

（私は早起きした、それで、ゆっくり朝食を食べる）

I get up early so that it will take long time to brush my teeth.

（私は早起きした、それで、時間をかけて歯を磨く）

I get up early so that I arrive there on time.

（私は早起きした、それで、時間通りにそこに着いた）

会社　2　I would rather walk than wait for the bus.

この文の would rather は、（むしろ〜したい）という熟語で覚えろと英語の本に書かれています。ここまで読んだ人ならば、これは熟語ではないと理解できます。would を使っているので、未来から現在を見て、「〜ができればいいのになあ」と思っているだけです。

ちなみに、著名な英文法の本では、would の用法が８個載っています。こんなには覚えられません。８個の用法は、未来から現在を見た、あるいは、現在から過去を見た用法にすべて合致します。その助動詞の本質的な用法さえわかれば、８個も覚える必要はありません。下記は英文法の本に書かれている would の用法の一部です。**10「期待可能性とは何か（would について）」**を参照。

On occasion we would play hide-and-seek.

（私たちは時おりかくれんぼをしたものだった）（過去の習慣）

これは現在から過去を見ています。would を使うのは当然です。

The door won't open.

（ドアはどうしても開かない）（過去の強い意志）

これは未来から現在を見て、ドアが開かないと言っているだけです。強い意志というより、単なる客観的事実を述べているだけです。

Would you please close the window?

（すみませんが窓を閉めていただけないでしょうか）（丁寧な表現・依頼）

未来から現在を見て、そうしてくれたらありがたいなという気持ちで話をしています。

Would you like to be a guest on a TV chat show?

（テレビのインタビュー番組のゲストになりませんか）（丁寧な表現・勧誘）

上記と同じ意味です。依頼と勧誘で分ける意味がわかりません。

It would be difficult for us to accept your offer.

（お申し出をお受けするのは無理かと存じます）（丁寧な表現・断り）

これも未来から現在を見て、自分の期待可能性を80％に低くして自分の要求を控えめに言っています。

置き換え

it would be nice, S ＋ V（S ＋ V ならば、いいだろう）

I would appreciate it, S ＋ V（S ＋ V ならば、評価するだろう）

I would give you a present, S ＋ V（S ＋ V ならば、贈り物をしよう）

会社　3　It takes me about nine minutes to walk to the station.

it takes ＋（人）＋時間＋ to 不定詞の構文です。

置き換え

It takes 19 hours to go to Africa by air.

（飛行機でアフリカに行くのに19時間かかる）

It takes at least two hours to get there.

（そこに着くのに少なくとも２時間かかる）

It will take twenty minutes to arrive there.

（そこに到着するのに20分かかるだろう）

会社　4　The train is so crowded that I can hardly move all the way.

so～ that S ＋ V の構文です。

置き換え

be 動詞 so good that S ＋ V（とてもいいので S ＋ V）

be 動詞 so bad that S ＋ V（とても悪いので S ＋ V）

be 動詞 so easy that S ＋ V（とても簡単なので S ＋ V）

会社　5　The password is too long to remember.

too～ to 不定詞の（とても～なので、to 不定詞ができない）

置き換え

be 動詞 too difficult to solve（難しくて解決できない）

be 動詞 too small to find（小さすぎて見つけられない）

be 動詞 too poor to travel（貧しくて旅行できない）

会社　6　I break my PC because it doesn’t work well.

理由を表す接続詞は**61「because について」**で説明しました。because を使うのはどのような場面ですか。as, since, for の違いについて説明できますか。

置き換え

The game was called off because it began to rain heavily.
（はげしく雨が降り出したので、試合は中止になった）
I can’t travel because I am too busy.（忙しすぎるので、旅行に行けない）

会社　7　I heard my boss call my name from his desk. Do you know what I mean?

hear を使った知覚動詞です。

置き換え

I hear someone call my name.（誰かが私の名前を呼ぶのが聞こえる）
I hear my name called by someone.（誰かによって私の名前を呼ばれた）
I hear someone calling my name.
（誰かが私の名前を呼んでいるのが聞こえる）

会社　8　Don’t keep the door open. It is cold outside.

第５文型　S ＋ V ＋ O ＋ C の形です。

置き換え

He chose her the chairman.（彼は彼女を議長に選んだ）
The news turned you pale.（その知らせはあなたを青ざめさせた）
She boiled the egg hard.（彼女は卵を固くゆでた）
I think him a great musician.（私は彼を偉大な音楽家と思う）

会社　9　A colleague asked him. “Would you mind my turning on the heater?”

would, could を使う疑問は丁寧と考えてよいでしょう。理由は**43**で説明したので、あなたはわかっているでしょう。同時にあなたは、どうしてそうなるか他人にも説明できるでしょう。would, could, might の本質的な用法がわかれば、英語における動詞の表現が広がり、また、相手が意図する心情も理解でき、本当の意味での意思疎通ができるでしょう。

この would, could, might の丁寧な表現が理解できれば、外国人と話すとき please, please を連発しなくて済みます。

英語には、日本語の相手を敬う尊敬語はありません。あるのは、自分の意見を控えめに伝える謙譲の言葉だけです。だから、英語を話す人は、知らない人に気軽に話しかける事ができます。相手に対しての尊敬語がないからです。だから、海外の電車の中では、知らない人同士でも気軽に話ができます。どうして日本人はそれができないか。それは日本語が相手との上下関係がはっきりしないと、どう話せばよいかわからない言語だからです。例えば日本人は電車の中で知らない人がタメロで話しかけてきたら、失礼だと言って怒る変わった人種です。これは世界的に見ると、極めてまれな現象です。その事に対して、日本人自身が気づいていないか、あるいは、気づいても知らないふりをしているか、わかりませんが、どちらにしても悲しい事です。**1**の「**言語はどうしてあるのか**」参照。

置き換え

I would like two tickets.（２枚チケットがほしいのですが）

I would like to make a reservation.（予約をとりたいのですが）

Would you tell me your true name?
（あなたの本当の名前を言ってもらえませんか？）

会社　10　She is the smartest woman in the office.

比較の最上級です。比較の特殊な表現を使って会話をするような事は、ほぼありません。実際使うのは、今年最高気温を記録しました、とかその程度のものです。だから、教科書の例文を、がむしゃらに覚える必要はありません。

置き換え

This is the latest news in Chiba prefecture.

（これは千葉県の最新ニュースです）

Taro is the tallest student in our class.（太郎はクラスで一番背が高い）

They are one of the greatest bands in the world.

（彼らは世界で最も偉大なバンドの一つです）

事故　1　The girl who gets injured is very friendly to me.

関係代名詞です。実をいうと、日常会話において、関係代名詞はそんなに使いません。関係代名詞の主格は使いますが、所有格、目的格の使用頻度は低いです。

置き換え

the man who used to live here（以前ここに住んでいた人）

the lady who is doing exercise（運動している女性）

a novel which is popular with teenagers（10代に人気のある小説）

事故　2　Even if she is young, she is competent.

接続詞の譲歩です。従属節「(たとえ)〜でも」が主節とつながります。

置き換え

Try again even if you fail.

（たとえ失敗しても、もう一度やってみなさい）

They are playing outside even if it is raining.

（雨が降っているけど彼らは外で遊んでいる）

This bike work well even if it is old.（このバイクは古いけどよく動く）

事故　3　I never forget the day when I first met her.

関係副詞です。when を使っているので、先行詞は時に関する単語 day です。先行詞は各関係副詞と関連した単語になっています。

置き換え

This is the place where S ＋ V（これが S ＋ V の場所です）

This is the case where S ＋ V（これが S ＋ V の事例です）

This is the reason why S ＋ V（これが S ＋ V の理由です）
This is the way how S ＋ V（これが S ＋ V の方法です）
I remember the year when S ＋ V（私は S ＋ V をした年を覚えている）
I remember the hour when S ＋ V
（私は S ＋ V をした時間を覚えている）
I remember the game what S ＋ V
（私は S ＋ V をした試合を覚えている）

事故 4 You appreciate Laura's songs. Some might say her songs are loved all around Japan.

some の後ろの people が省略されています。some (people) might say S ＋ V

置き換え

the newspaper says that S ＋ V（新聞は S ＋ V と言っている）
researchers say that S ＋ V（研究者は S ＋ V と言っている）
the study says that S ＋ V（研究は S ＋ V と言っている）

事故 5 I was shocked at the news that she had been killed in the road accident.

同格の that です。主節は過去形、that 節は過去完了形になっています。理由は36の「**過去形と過去完了形の違い**」で説明しています。

置き換え

I am surprised at the fact that S ＋ V（S ＋ V という事実に私は驚いた）
I am ashamed at the remark that S ＋ V
（S ＋ V という意見に私は恥ずかしかった）
I am satisfied with the conclusion that S ＋ V
（S ＋ V という結論に私は満足した）
死に方にもいろいろあります。

置き換え

He was burnt to death.（彼は焼け死んだ）

He was frozen to death.（彼は凍死する）
He was drowned to death.（彼は溺死する）
He was shot to death.（彼は射殺される）
He was stabbed to death.（彼は刺殺される）
He was choked to death.（彼は窒息死する）
He was beaten to death.（彼はぶたれて死ぬ）
He was poisoned to death.（彼は毒殺される）

事故　6　My father walks to work unless it rains heavily.

unless は接続詞の条件「〜でない限り」「もし〜でなければ」の意味です。

置き換え

S ＋ V, unless you have a ticket
（あなたがチケットを持っていない限り、S ＋ V）
S ＋ V, unless you come with me（一緒に来てくれない限り、S ＋ V）
S ＋ V, unless I am very tired
（もし私がひどく疲れていなければ、S ＋ V）

事故　7　Without the miserable accident, she would have succeeded as a singer.

仮定法過去完了です。

彼女はすでに死んでいるので、仮定法過去完了になります。仮定法の原則は過去です。そして、仮定が明確に過去の時だけ、過去完了を使う。これは36の「**過去形と過去完了形の違い**」で説明した原則と同じです。

置き換え

without fire, S ＋ would have lived
（火事がなければ、S は生きていただろう）
with more money, S ＋ could have invested
（もっとお金があったなら、S は投資ができたはずだ）

without the earthquake, S ＋ would not have broken
（地震がなければ S は壊れなかっただろう）

事故　8　She said to me. “However tough it is, you have to complete it.”
however は「どんなに〜でも」という譲歩の意味を表します。
置き換え
however hard it is, S ＋ V（どんなに困難でも S ＋ V）
however difficult the situation is, S ＋ V
（どんなに状況が困難でも S ＋ V）
however dubious it is, S ＋ V（どんなに疑わしくても S ＋ V）

事故　9　As you are young, don’t leave it as it is, do as you like.
接続詞の as です。as の本質的な意味は「同時に」です。この文章も、正確に訳すと、(同時に若いし、現状と同じようにするな、あなたが思う事と同じようにやれ）という事です。
置き換え
as you are old, S ＋ V（あなたが年寄りであるように S ＋ V）
S ＋ V, as I was walking down the street
（私が通りを歩いていた時 S ＋ V）
S ＋ V, as I told you（私が言ったように S ＋ V）

事故　10　I wish I would have saved her.
最後は仮定法過去完了です。現在に立ち過去を見ます。彼女は死んでしまっているので、過去の仮定ですので過去完了になります。
置き換え
I wish I would not have done.（しなければよかった）
I wish I could have stayed longer.（もっと長く滞在できればよかった）
I wish I had studied more.（もっと勉強すればよかった）

第16章　自　　習

77. 自習のやり方

基本例文は覚えましたか。

朝、基本例文の暗唱をしましたか。

これから単語の置き換えをします。自習をやってもらいます。

自習はつらいです。今日のノルマを決めても、仕事とか、他の勉強とかで、うまく進まない事の方が多いと思います。

その時のために、こう思って下さい。置き換えの練習は基本例文を自分のものにするためにやっているのだと。そう思えば、仮に今日１日、自習ができなくても、基本例文の暗唱さえやっていれば進んだと考える事ができます。

それでは、自習のやり方を説明します。月曜日でしたら、「家族１」の例文１から始めて下さい。

日本語訳を読んで、英語をノートに書きます。例文１が１日の最低ノルマです。10個文章を書いて下さい。文章を書いたら、暗唱して下さい。次に「家族２」の例文１に進んで下さい。それだけです。余裕があったら、いくらでも進んで下さい。

火曜日には、「家族２」の例文１から始めて下さい。10個終わったら、「学校１」の例文１に進んで下さい。

どれだけ、進むかは、あなたの勉強の進捗次第です。

置き換えは練習ですから、10個の途中でやめてもいいです。ただし、次の日は、火曜日なら「家族２」の所からというふうに、その日決められたルーティンでやって下さい。繰り返しますが、基本例文は必ず、毎朝、やって下さい。

今やっている事は英語をマスターするためですから、置き換えの練習の時に、日記みたいに、今日の自分の出来事とか書いて、自習を遅らせる事はしないで下さい。あくまで、この自習は基本例文を自分の言葉にするための練習と考えて下さい。だから、書く事は限定します。むしろ、書く事を限定されるので、書く方からすると楽だと思います。

ちなみに「家族1」の例文1は、

1　これは工場です、私が働いている。(前置詞＋関係代名詞)

どうですか。

基本例文を覚えていたら、すぐできると思います。こういう形式で、それぞれ各固まりで例文1から例文5まであります。基本例文を入れると、合計420個の文章が作れる事になります。

ゆっくりでいいので、毎日やって下さい。動詞、名詞も重複しないように作っているので、覚える単語の量も増えます。しかし、何度も言いますが、この自習は、あくまで、基本例文を自分のものにするためです。基本例文は必ず、毎日暗唱して下さい。

数字を丸印でくくられているのは、25個の動詞活用するための例文です。余裕があればこの自習問題の例文でも25個の動詞活用をして下さい。

78. 自習問題

家族1　例文1　日本語訳

1　これは工場です、私が働いている。(前置詞＋関係代名詞)

2　アイスクリームショップはかつてここにあった。(助動詞・used to)

③　彼女は私に頼んだ、パーティに食べ物を持って来る事を。(ask ＋人＋ to 不定詞)

4　私の教授は私に教えた、テロの恐ろしさは私たちにセキュリティを強化させる。(teach ＋人＋ that 節)

5　意味はないです、彼に助言を求めても。(it is ＋形容詞＋ to 不定詞)

6　私のいとこは、私とテニスをしたがっているの。(S ＋ V ＋ O ＋ to 不定詞)

7　彼は私より太っている。(比較・比較級) 体重いくらなの？ (疑問詞)

8　何て美しい家なの。いくらなの？ (感嘆) (疑問詞)

9　９時に東京を出発し、昼前に京都に着いた。(S ＋ V ＋ O)

10　あなたは優しい、私に日本の伝統儀式を見せてくれて。(it is ＋形容詞＋ of ＋人＋ to 不定詞)

家族１　例文１　英訳

1　This is the factory for which I work.

2　The ice cream shop used to be here.

③　She asked me to bring the food to the party.

4　My professor teaches me that the threat of the terrorism strengthens our security measures.

5　It is useless to ask him for advice.

6　My cousin wants me to play tennis with me.

7　He is fatter than I. How much is your weight?

8　What a beautiful house this is. How much is it?

9　I left Tokyo at nine and arrived at Kyoto before noon.

10　It is kind of you to show me the traditional ceremony of Japan.

家族２　例文１　日本語訳

1　彼は、病気だったらしい。(seem ＋ to 不定詞)

②　晴れていようが雨が降っていようが、私はそこに行く。(副詞) (接続詞・whether)

3　彼は退職したが、ボランティアで教え続けている。(接続詞・though)

4　この冬、東京はほとんど雪が降らなかった。（準否定・little）
5　何が起ころうとも、彼はいつも冷静だ。（関係詞・whatever）
6　彼女はわざわざ帰ってこなくてもよかった。（should have ＋過去分詞）
7　彼は人気が出れば出るほど、自分自身に自信を持つようになった。（比較・比較級）
8　部屋を出る前に、必ず電気を消して下さい。（接続詞・before）
9　私は姉が漫画家の女性に出会った。（関係代名詞・所有格）
10　彼が一緒に働いた人たちはみな助けになった。（関係代名詞・目的格）

家族２　例文１　英訳

1　He seems to have been in ill.
②　I go there whether it's sunny or rainy.
3　Even though he is retired, he continues to teach as a volunteer.
4　We have had little snow in Tokyo this winter.
5　He is always calm, whatever happens.
6　She shouldn't have bothered to come back.
7　The more popular he became, the more he became confident in himself.
8　Be sure to turn off the light before you leave the room.
9　I met a woman whose sister is a cartoonist.
10　The people with whom I worked were all helpful.

学校１　例文１　日本語訳

1　大気も川と同じくひどく汚染されている。（比較・原級）
2　君は私の命令に従わなければならない。（be 動詞＋ to 不定詞・命令）
3　私の好きな娯楽は映画を見る事です。（現在分詞）
4　ここに自転車を停めてはいけない。（助動詞・should）
5　私は眠っていたに違いない、なぜならあなたの足音が聞こえな

かったから。（助動詞・must）

6　あなたが望む人は誰でも招待するつもりです。（複合関係代名詞・whoever）

7　多くの人々は自然を保護するために何をするかを知らない。（疑問詞＋ to 不定詞）

8　私は結婚した。私は髪を切った。（get ＋過去分詞）（使役動詞）

9　ひどい雨で私たちは出発を延期するしかなかった。（無生物主語・compel）

⑩　変化に気づいた人はごくわずかしかいなかった。（準否定・few）

学校1　例文1　英訳

1　The air is polluted as badly as the river.

2　You are to follow my orders.

3　My favorite pastime is watching movies.

4　You should not park your bike here.

5　I must have been asleep because I didn’t hear your footsteps.

6　I will invite whoever you like.

7　Many people don’t realize what to do to protect nature.

8　I got married. I had my hair cut.

9　The heavy rain compelled us to put off our departure.

⑩　Very few noticed the change.

学校2　例文1　日本語訳

①　選手たちは金メダルを12月に与えられた。（受動態）

2　多くの人々が建物に入るのが見られた。（受動態・知覚動詞・see）

3　私は推測する、あなたは数学の試験で一番難しくない問題から始める。（I guess that 節）（比較・最上級）

4　これは私がこれまでに読んだ話の中で最も面白い話だ。（比較・最上級）

5　インドネシアは日本の５倍の大きさだ。（比較・原級）

6　パスワードを覚えておく事が必要だ。（形容詞＋ that 節）

7　彼女は喜んだ、自分の学生の多くがよく書けたエッセイを提出したことを知って。（to 不定詞・結果）

8　宴会の後、かたづける人はいなかった。（there・to 不定詞）

9　彼は不注意にもそんな事をした。（it is ＋形容詞＋ of ＋人＋ to 不定詞）

10　私の両親は私の成績に満足した。（受動態）

学校２　例文１　英訳

① The players were given gold medals in December.

2 Many people were seen to enter the building.

3 I guess that you start with the least difficult question in the math exams.

4 This is the most interesting story that I have ever read.

5 Indonesia is five times as large as Japan.

6 It is necessary that you remember the password.

7 She was happy to find that many of her students had submitted well-written essays.

8 There was no one to clean up after the party.

9 It was careless of him to do such a thing.

10 My parents were satisfied with my grades.

友人　例文１　日本語訳

1　今日、私はやるべき事がたくさんある。（to 不定詞・形容詞的用法）

2　私が夕食を食べている間に、携帯が鳴った。（接続詞・while）

③　私はサリーに指輪を買う。（S ＋ V ＋ O ＋ O）

4　私が彼女の電話番号を知っていたら、電話するのに。（仮定法・過去）

5　悲しい事に、私はバッグを盗まれた。（副詞）（使役動詞・have）

6　あなたの助けがなかったら、私はこの仕事ができないだろう。(仮定法・過去)
7　家を建て直すのにお金がずいぶんかかった。(it costs ＋人＋金額＋ to 不定詞)
8　あなたの立場だったら、私は同じ事をしただろう。(仮定法・過去完了)
9　私はしゃがんだ。膝のホコリをはらった。(S ＋ V ＋ O)
10　私はちょうど今911に電話した。すぐに救急車が来るだろう。(助動詞・ought to)

友人1　例文1　英訳

1　I have a lot of things to do today.
2　The smartphone rang while I was eating dinner.
③　I buy Sally a ring.
4　If I knew her telephone number, I would call her.
5　Sadly I had my bag stolen.
6　Without your help, I would not be able to do this job.
7　It cost me a lot of money to have my house rebuilt.
8　In your place, I would have done the same thing.
9　I crouched down. I dusted my knees.
10　I dialed 911 just now, the ambulance ought to be here soon.

会社　例文1　日本語訳

1　TV 番組を録画して下さい。それで後で見る事ができる。(命令形) (so that 節)
2　出かけるより、むしろ家にいたい。(助動詞・would rather)
3　あなたが宿題を終わらせるのに、２週間かかるだろう。(it takes ＋人＋時間＋ to 不定詞)
4　この本はとてもおもしろいので、１日で読んでしまった。(so～that 節)

5　私はあまりにも疲れすぎて歩けない。（too〜 to 不定詞）
⑥　彼女はキャンプに行かなかった、そもそも野外活動が好きでなかったから。（接続詞・for）
7　人混みで私の名前を呼ばれた。（知覚動詞・hear）
8　部屋をきれいにしなさい。（命令形）（S ＋ V ＋ O ＋ C）
9　窓を閉めてくれませんか。（丁寧・would you）
10　彼女は私が知っている女性で最も知的な女性だ。（比較・最上級）

会社　例文1　英訳

1　Record TV program so that we can see it later.
2　I would rather stay home than go out.
3　It will take you two weeks to finish homework.
4　The book was so interesting that I read it in a day.
5　I am too tired to walk.
⑥　She didn't go camping, for she doesn't like outdoor activities.
7　I hear my name called in the crowd.
8　Keep the room clean.
9　Would you mind your closing the window?
10　She is the most intelligent woman that I know.

事故　例文1　日本語訳

1　フランス語が話せる女性に会った。（関係代名詞・主格）
2　野菜を食べなさい、たとえあなたが嫌いでも。（接続詞・even if）
3　今が、あなたがそれを始めなければいけない時です。（関係副詞・when）
④　彼女に伝えて、私が電話していると。死体はクローゼットで発見された。（受動態）
5　私は支持する、節電するという考えを。（idea・同格の that 節）
6　私は彼が謝らない限り彼を許さない。（接続詞・unless）
7　彼の助言がなければ、我々は試合に勝てなかっただろう。（仮定

法・過去完了)
8　彼はあきらめない、どんな困難な状況であっても。(疑問詞・however ＋形容詞)
9　私は疲れていたので、早く寝た。(接続詞・as)
10　学生時代にもっと勉強していればなあ。(I wish・仮定法・過去完了)

事故　例文１　英訳

1　I met a woman who can speak French.
2　Eat vegetable, even if you don't like it.
3　Now is the time when you should start it.
④　Tell her I call. The body was found in the closet.
5　I support the idea that we should save electricity.
6　I won't forgive him unless he apologizes.
7　Without his advice, we could not have won the game.
8　He never gives up, however difficult the situation is.
9　As I tired, I went to bed early.
10　I wish I would have studied more in school days.

家族１　例文２　日本語訳

1　月曜日は私が一番忙しい日です。(前置詞＋関係代名詞)
2　インドはかつてはイギリスに含まれていた。(助動詞・used to)
③　叔母は彼に夜遅くまで起きているなと言った。(tell ＋人＋ not to 不定詞)
4　彼は私に約束した、支払いをする事を。(promise ＋人＋ that 節)
5　悪い習慣を断ち切るのは容易ではない。(it is ＋形容詞＋ to 不定詞)
6　私は彼が正直だと思う。(think ＋人＋ to 不定詞)
7　彼は私よりもさらに年上だ。(比較・比較級)
8　何てきれいな風景なの。(感嘆)

9　彼女はその問題を私に説明した。（S ＋ V ＋ O）

10　私は確信している。子供たちがここに泊まるのは危険だ。（I am 形容詞）（it is ＋形容詞＋ for ＋人＋ to 不定詞）

家族1　例文2　英訳

1　Monday is the day on which I am busiest.

2　India used to belong to the United Kingdom.

③　His aunt told him not to sit up late.

4　He promised me that he should pay the bill.

5　It is not easy to break a bad habit.

6　I think him to be an honest man.

7　He is much older than I.

8　How beautiful landscape is.

9　She explained the problem to me.

10　I am convinced that it is dangerous for children to stay here.

家族2　例文2　日本語訳

1　彼は新しい車が気に入っているみたいだ。（seem ＋ to 不定詞）

②　私は彼にお金を送るかどうか迷った。（接続詞・whether）

3　私は彼を作家としては称賛するが、人としては好きではない。（接続詞・though）

4　彼は、かつてのような高名な外科医ではない。（否定・no longer）

5　どんな困難に遭おうとも、あなたはきっと克服できるだろう。（関係詞・whatever ＋名詞）

6　政府はもっと適切な措置をとるべきだったはずだ。（should have ＋過去分詞）

7　我々は年をとればとるほど記憶力は弱くなる。（比較・比較級 the〜, the〜）

8　彼女は高校を卒業した後、青森に引っ越した。（接続詞・after）

9　彼女には３人子供がいるが、その全員が公務員になっている。

（関係代名詞・主格 all of whom）

10　彼は金を借りていた男に弁済した。（前置詞＋関係代名詞・目的格）

家族２　例文２　英訳

1　He seems to be pleased with his new car.

②　I hesitated whether I should send money to him.

3　Though I admire him as a writer, I do not like him as a man.

4　He is no longer the renowned surgeon that he used to be.

5　Whatever difficulties you have, you will be able to overcome them.

6　The government should have taken more adequate measures.

7　The older we grow, the weaker our memory becomes.

8　She moved to Aomori after she graduated from high school.

9　She has three children, all of whom have become civil servants.

10　He paid the man from whom he had borrowed the money.

学校１　例文２　日本語訳

1　彼は高校時代と同じように横柄だ。（比較・原級）

2　加藤は来月、アメリカを訪れる予定だ。（be 動詞＋ to 不定詞・予定）

3　私は昨日の夜、卓球を見て楽しんだ。（enjoy ＋動名詞）

4　できる限り、早く教えて下さい。（命令形）（比較・as～ as）

5　彼はタクシーで来たに違いない。（must have ＋過去分詞）

6　どちらでも好きな方を選びなさい。（命令形）（疑問詞・whichever）

7　どちらを選ぶかは君に任せます。（疑問詞＋ to 不定詞）

⑧　彼女はその靴を見て青ざめた。彼女は店員に別の靴を見せてもらった。（S ＋ V ＋ C）（使役動詞・have）

9　この絵は私に子供時代を思い出させる。（無生物主語・remind）

10　彼女とは、この頃めったに会わない。（準否定・seldom）

学校１　例文２　英訳

1　He is as arrogant as when he was in high school.

2　Kato is to visit America next month.

3　I enjoyed watching the table tennis last night.

4　Let me know as soon as possible.

5　He must have come by taxi.

6　Choose whichever you prefer.

7　Which to choose is left to you.

⑧　She turns pale at the shoes. She had the sales clerk show her another pair of shoes.

9　This picture reminds me of my childhood.

10　I seldom see her these days.

学校２　例文２　日本語訳

①　アメリカ合衆国では、大統領は市民が選ぶ。（受動態）

2　私は羊が小屋に入っていくのに気づいた。（知覚動詞・notice）

3　私は信じている、トムは10ドル以上持っている。（I believe that節）（比較・比較級）

4　光より速いものはない。（比較・原級）

5　アルゼンチンはブラジルの３分の１の大きさです。（比較・as～as）

6　ローズとジャックは結婚しなさそうだ。（it is less likely that 節）

7　私はアンが留守なのを知ってがっかりした。（to 不定詞・感情の原因）

8　私たちは赤ちゃんを起こさないように小さな声で話した。（so as not to）

9　私は問題を解くのが難しい事がわかった。（find it ＋形容詞＋ to不定詞）

10　新しいホテルは来年建てられる予定である。（受動態）

学校２　例文２　英訳

① The president is elected by the citizens in the U.S.
2 I notice the sheep enter into the hut.
3 I believe that Tom has more than 10 dollars.
4 Nothing can travel as fast as light.
5 Argentina is one-third as large as Brazil.
6 It is less likely that Rosa will get married Jack.
7 I was disappointed to find that Ann was out.
8 We talked quietly so as not to wake the baby.
9 I found it difficult to solve the problem.
10 A new hotel is going to be built next year.

友人　例文２　日本語訳

1 幸運な事に、私には助けてくれる友人がいた。（副詞）（to 不定詞・形容詞的用法）
2 ２カ月経つ、彼女が病院に入院してから。（接続詞・since）
3 彼らの間には何か誤解があるにちがいない。（助動詞・must）
4 もし私が健康だったなら、どんなに楽しいか。（仮定法・過去）
5 私は車を修理してもらった。（使役動詞・have）
6 もし、私が暇だったら、あなたといっしょに行けたのに。（仮定法・過去）
7 新聞に広告を出すのに、約985万ドルかかる。（it costs ＋人＋金額＋ to 不定詞）
8 もし私があなたの立場なら、同じ事をしたでしょう。（仮定法・過去完了）
⑨ 彼は首を振った。彼女はこめかみを押さえた。頭痛がする。（S ＋ V ＋ O）
10 あなたに愚かな事を言うかもしれませんが、あなたの電話番号を教えてくれませんか。（丁寧・could you）

友人 例文２ 英訳

1 Fortunately I had a friend to help me.
2 Two months have passed since she hospitalized.
3 There must be some misunderstanding between them.
4 If I were healthy, how happy I would be.
5 I had my car repaired.
6 If I were free, I could go with you.
7 It costs us about 9,850,000 dollars to advertise in the newspaper.
8 In your place, I would have done the same thing.
⑨ He shook his head. She pressed her fingers to her temples. She had her headache.
10 It may seem foolish to say to you, could you tell me your telephone -number?

会社 例文２ 日本語訳

1 メールのアドレスを交換しましょう、それで、お互い連絡することができる。(so that 節)
2 外で遊ぶより、むしろ家でテレビを見たい。(助動詞・would rather)
3 バスを使うとお金の節約になるでしょう。(save ＋人＋金額)
4 その言葉はとても難しいので、私はスペルが書けない。(so～ that 節)
5 老人はとても疲れていたので、一人でそのバッグを運べなかった。(too～ to 不定詞)
6 私は解雇された。病気をしたので。(接続詞・as)
⑦ ニックは彼女にペンを貸した。(S ＋ V ＋ O ＋ O)
8 映画が退屈なことがわかった。(S ＋ V ＋ O ＋ C)
9 お菓子を持ってきてもらえたらうれしいです。(丁寧・would)
10 金星が一番明るく見えるのは日没直後である。(比較・最上級)

会社　例文２　英訳

1 Let's exchange our e-mail address so that we can contact each other.
2 I'd rather watch TV at home than play outside.
3 Taking a bus will save you a lot of money.
4 That word is so difficult that I can't spell it.
5 The old man was too tired to carry the bag by himself.
6 I got fired, as I was sick.
⑦ Nick lent her the pen.
8 I found the movie boring.
9 I would like you to bring some snack.
10 Venus appears brightest just after sunset.

事故　例文２　日本語訳

1 ハイブリッド車を発明した人がテレビに出る予定です。（関係代名詞・主格）
2 このバイクは古いけれども、まだよく動く。（接続詞・though）
3 あなたは、彼女が今日、練習に来ない理由を知っていますか。（関係副詞・why）
④ 私は彼の作品を賞賛する。なぜなら、彼の作品はみんなに愛されているから。（S ＋ V ＋ O）（受動態）
5 噂がある、彼らが来月、結婚するだろうという。（rumor・同格の that 節）
6 あなたがパーティに行かないのなら、私はパーティに行かない。（接続詞・unless）
7 もし水がなければ、生き物は生きていけないだろう。（仮定法・過去）
8 讃岐では、あなたがどこに行っても、おいしいうどんが食べられる。（接続詞・wherever）
9 きれいな日だったので、私たちは田舎を長く歩くことを決めた。（接続詞・as）

10　もう少し、長くいられたなら。（I wish・仮定法・過去完了）

事故　例文２　英訳

1　The man who invented the hybrid car is going to be on TV program.
2　Though this bike is old, it still works well.
3　Do you know the reason why she is not coming to practice today?
④　I admire his works. Because his works are liked by everyone.
5　There is a rumor that they are getting married next month.
6　I won't go to the party unless you go.
7　Without water, no living thing could live.
8　In Sanuki, wherever you go, you can eat tasty udon.
9　As it was such a beautiful day, we decided to take a long walk in the country.
10　I wish I could have stayed longer.

家族１　例文３　日本語訳

1　ジェーンが話していた婦人はロングさんです。（前置詞＋関係代名詞）
2　私たちはかつてよく将来について語り合ったよね。（助動詞・used to）（付加疑問）
③　私は弟に駅まで車で送ってもらった。（get ＋人＋ to 不定詞）
4　警察は私に家宅捜索をすることを要求した。（demand ＋人＋ that 節）
5　試験に受かるのは容易ではない。（it is ＋形容詞＋ to 不定詞）
6　私の父は彼のコンピューターを使うことを許した。（allow ＋人＋ to 不定詞）
7　悪天候は私たちが予想したよりもずっと長く続いた。（比較・比較級）
8　何てあなたは親切なの。いくら、私にお金をくれるのか？（感嘆）（疑問詞）

9　彼はドアの方に向かった。彼女はドアから出ていく彼の後を追いながら、彼の背中を見つめた。(S + V + O)

10　私は確信している。携帯電話で話しながら、自転車に乗るのはあなたにとって危険だ。(I am 形容詞)(it is ＋形容詞＋ for ＋人＋ to 不定詞)

家族１　例文３　英訳

1　The lady with whom Jane was talking was Mrs. Long.

2　We used to talk about our future, didn't we?

③　I got my brother to drive me to the station.

4　The police demanded me that the house should be searched.

5　It is not easy to pass the exam.

6　My farther allowed me to use his computer.

7　The bad weather lasted much longer than we had expected.

8　How kind you are. How much do you give me money?

9　He headed for the door. As she followed him out of the door, she stared his back.

10　I am convinced that it is dangerous for you to ride a bicycle while talking on your smartphone.

家族２　例文３　日本語訳

1　彼は忙しそうだ。(seem ＋ to 不定詞)

②　私は彼に尋ねた、美術部に入部するかどうかを。(接続詞・whether)

3　私は右腕を折ったけれど、短いメールなら書く事ができた。(接続詞・although)

4　私が賞を得ようとは夢にも思わなかった。(準否定・little)

5　どれを私たちが選んでも、ヒロトは満足しないだろう。(接続詞・譲歩)

6　彼の忠告を聞くべきだった。(should have ＋過去分詞)

7　猫はだんだん従順でなくなった。（比較・比較級）
8　彼がどうして我々の招待を断ったかわからない。（関係副詞・why）
9　あれが車を盗まれた男です。（関係代名詞・所有格）
10　ボブが私にくれた本はとてもおもしろかった。（関係代名詞・目的格）

家族２　例文３　英訳

1　He seems to be busy.
②　I asked him whether he would join the art club.
3　Although my right arm was broken, I was able to write a short mail.
4　I little dreamed of winning the prize.
5　Whichever we choose, Hiroto won't be satisfied.
6　I should have taken his advice.
7　Our cat become less and less obedient.
8　I don't know the reason why he refused our invitation.
9　That is the man whose car was stolen.
10　The book which Bob gave to me is very interesting.

学校１　例文３　日本語訳

1　この会社は、756人の従業員がいる。（比較・原級）
2　朝早い公園では、誰も見る事ができない。（受動態・be 動詞＋ to 不定詞）
3　彼はひどい誤りを犯したことを認めた。（動名詞）
4　新聞で読んだからと言って、すべてを信じてはいけない。（助動詞・should）
5　救急車が来ている、隣の人に何かあったに違いない。（助動詞・must have ＋過去分詞）
6　お好きなものをお選び下さい。（複合関係代名詞・～するものは何でも）

7　我々はまだ決めていない、誰をパーティに招待するかを。（関係代名詞＋ to 不定詞）

8　のどが渇いていた。ウェイターに水を１杯持って来てもらった。（使役動詞・have）

9　台風は私たちが海に泳ぎに行くのを妨げた。（無生物主語・prevent〜 from〜）

⑩　その絵がなぜとても重要かという事を知っている人はほんの少ししかいない。（準否定・only a few）

学校１　例文３　英訳

1　There are as many as 765 employees in this company.

2　No one was to seen in the park early in the morning.

3　He admitted having made a serious mistake.

4　You shouldn't believe everything you read in the newspaper.

5　There's an ambulance. Something must have happened to my neighbor.

6　Please choose whichever you like.

7　We haven't yet decided whom to invite to the party.

8　I am thirsty. I had the waiter bring me a glass of water.

9　The typhoon prevented us from going swimming in the ocean.

⑩　Only a few people know why the picture is so important.

学校２　例文３　日本語訳

①　審査員は出場者の機知に富んだ答えを面白がった。（受動態・amused）

2　私は家が揺れているのを感じた。（知覚動詞・feel）

3　私は疑う、ダチョウが馬より速く走れることを。（I doubt that 節）（比較・比較級）

4　世界にはダチョウと同じくらい大きい鳥はいない。（比較・as〜 as）

5　ウラニウムは鉛の２倍の体積密度がある。（比較・as〜 as）

6　世界が変わったみたいだ。これが、彼が私に話したことです。(it is likely that 節)
7　その老人は息子の昇進を聞いて喜んだ。(受動態・be pleased to)
8　音量を下げなさい、音が他人に迷惑をかけないように。(命令形)(to 不定詞・副詞的用法)
9　我々は合意に達する事が、難しいと分かった。(find it hard to 不定詞)
10　ケイコは信号無視で罰金を科せられた。(受動態)

学校２　例文３　英訳

① The jury were amused at the contestant's witty answers.
2　I felt the house shaking.
3　I doubt that ostriches can run faster than horses.
4　No other birds in the world are as large as the ostriches.
5　Uranium is twice as dense as lead.
6　It is likely that the world has changed. This is what he told me.
7　The old man was pleased to hear about his son's promotion.
8　Turn down the volume not to disturb others.
9　We found it hard to reach an agreement.
10　Keiko was fined for the ignoring signal.

友人　例文３　日本語訳

1　今年はやらなければいけない事がたくさんある。(to 不定詞・形容詞的用法)
2　彼が来るまで、ここで待っている方がよいのでは。(接続詞・until)
③　私は彼を待っている。あそこのベンチに座りましょう。(S + V)(命令形)(使役動詞・let)
4　もし、あの時、君の忠告に従っていたら、今こんな苦労はしていないだろう。(仮定法・過去)

5　数分もしないうちに、彼は聴衆を笑わせていた。（使役動詞・have）
6　もっと流暢にフランス語が話せればいいのに。（仮定法・過去）
7　ハワイへの旅行に18万9000円かかった。（it cost ＋人＋金額）
8　我々はすぐ出発した。そうでなければ、飛行機に乗り遅れただろう。（仮定法・過去完了）
9　私はかがむ。私は水で錠剤を飲み込んだ。（S ＋ V ＋ O）
10　運動した方がよいかもしれません。（助動詞・might）

友人　例文３　英訳

1　I have something to do this year.
2　Hadn't we better wait here until he comes?
③　I wait for him. Let's sit on the bench over there.
4　If I had followed your advice then, I wouldn't be in such a trouble now.
5　Without minutes he had whole audience laughing.
6　I wish I could speak French more fluently.
7　The trip to Hawaii cost me 189,000 yen.
8　We started at once, otherwise we would have missed the plane.
9　I ducked. I swallowed the pill with some water.
10　It might be good for you to get some exercise.

会社　例文３　日本語訳

1　彼らは私に数回書き直させた。すると、それは、ずっと違った物に見えてきた。（so that 節）
2　詐欺師と付き合うなら、むしろ、ひもじい思いをする方がましだ。（助動詞・would）
3　そこに行くのに少なくとも２時間はかかるだろう。（it take ＋人＋時間＋ to 不定詞）
4　私は疲れ果てて、ほとんど一言も発する事ができなかった。（so～ that 節）

5　話ができすぎていて、私は信じられない。(too～ to 不定詞)

⑥　私は写真を撮らなかった。暗くなってきたので。(接続詞・as)

7　何か焦げている臭いがしませんか。という事は、つまり何。(知覚動詞・smell)(meaning what)

8　彼が帰ってきたとの知らせは彼女を喜ばせた。(S ＋ V ＋ O ＋ C)

9　塩をとっていただけますか？(丁寧・could you)

10　サハラ砂漠は世界最大の砂漠です。(比較・最上級)

会社　例文３　英訳

1　They had me rewrite it several time so that it began to look much different.

2　I would rather go hungry than associate with con artists.

3　It will take us at least two hours to get there.

4　I was so tired that I could scarcely say a word.

5　That's too good a story for me to believe.

⑥　I didn't take any pictures, as it was getting dark.

7　Don't you smell something burning? Meaning what?

8　The news of his return made her happy.

9　Could you pass me the salt?

10　The Sahara is the largest desert in the world.

事故　例文３　日本語訳

1　私は壊れたラップトップを直している。(関係代名詞・主格)

2　一旦、自転車の乗り方を覚えたら、あなたは決して忘れない。(接続詞・once)

3　あれが、私が自転車を見つけた場所だ。(関係副詞・where)

④　私は薬アレルギーがある。この店では、さまざまな薬が売られている。(受動態)

5　私は彼女がこのニュースを公表しようとしている懸念を知っている。(apprehension・同格の that 節)

6　もしも薬がなくなったら、ドラッグストアに行って下さい。(命

令形）（接続詞・in case）

7　チャンスがあったなら、歌手は人気が出ただろう。（仮定法・過去）

8　何が起ころうとも、あなたはそこに着かなければならない。（接続詞・no matter what）（助動詞・must）

9　車があるから、歩かなくていいだろう。（接続詞・as）

10　それを言わなければよかった。（I wish・仮定法・過去完了）

事故　例文３　英訳

1　I am fixing a laptop which isn't working.

2　Once you have learned how to ride a bicycle, you never forget.

3　That's the place where I found my bike.

④　I am allergic to certain medicines. Various kinds of medicines are sold at this store.

5　I know the apprehension that she is trying to publicize this news.

6　Please go to the drugstore immediately in case you run out of your medicine.

7　Given the chance, the singer would have been popular.

8　No matter what happens, you must arrive there.

9　As I have a car, we won't have to walk.

10　I wish I would have left that unsaid.

家族１　例文４　日本語訳

1　警察は３人を逮捕したが、そのうちの１人は誘拐犯と確認された。（one of whom 関係代名詞・主格）（非制限用法）

2　私はかつては１日に２箱煙草を吸っていたが、今はやめた。（助動詞・used to）

③　警察官は私に免許証をみせろと言ってきた。（force ＋人＋ to 不定詞）

4　彼女は繰り返し、私を説得した、彼に会うように。（persuade ＋

人＋ that 節）

5　あなたは私を助けてくれて親切だ。（it is ＋形容詞＋ of ＋人＋ to 不定詞）

6　お母さんは私が彼とデートするのを嫌っている。（hate ＋人＋ to 不定詞）

7　私はより怒った、なぜなら彼は私にその事故の責任をなすりつけたから。（比較・比較級）

8　どうやってここに来たの？　駅まで送るのにどれくらい時間かかるの？（疑問詞・how）

9　この荷物を日本に送りたいのですが。（S ＋ V ＋ O）

10　あなたは英語を学ぶ必要がある。（it is ＋形容詞＋ for ＋人＋ to 不定詞）

家族１　例文４　英訳

1　The police arrested three person, one of whom was identified as the kidnapper.

2　I used to smoke two pack a day, but I quit now.

③　The police officer forced me to show my driver's license.

4　She repeatedly persuades me that I meet him.

5　It is kind of you to help me.

6　My mother hates me to go out with him.

7　I was more upset because he blamed me for the accident.

8　How did you come here? How long does it take me to the station?

9　I'd like to send this parcel to Japan.

10　It is necessary for you to learn English.

家族２　例文４　日本語訳

1　彼には友達が少ないように見える。（appear ＋ to 不定詞）

②　その役を演じる時は、いつも彼女はカツラをかぶる。（接続詞・whenever）

3　どこに住んでいようとも、オンラインで他の学生と通信できる。（接続詞・no matter）
4　少なからず油が漏れた。彼が腕まくりをして働いていた間に。（準否定・little）（付帯状況）
5　何が起ころうとも、用意ができている。（関係詞・譲歩）
6　彼女は試験に簡単に受かったはずだ。（should have ＋過去分詞）
7　宇宙について発見すればするほど、宇宙は合理的な法則に支配されていることに気づく。（比較・比較級・the〜, the〜）
8　私が呼ぶまで、待ちなさい。（命令形）（接続詞・until）
9　彼女がある本に言及したが、その本の題名を忘れてしまった。（関係代名詞・所有格）
10　昨夜私たちが聞いた音楽は、ビートルズでした。（関係代名詞・目的格）

家族２　例文４　英訳

1　He appears to have few friends.
②　Whenever she plays the role, she wears the wig.
3　No matter where you live, you can communicate with other students online.
4　Not a little oil leaked, while he was working with his sleeves roll up.
5　Whatever happens, I am ready to do.
6　She should have passed the exam easily.
7　The more we discover about the universe, the more we find that it is governed by rational law.
8　Wait until I call.
9　She mentioned a book whose title has slipped my memory.
10　The music to which we listened last night was by the Beatles.

学校１　例文４　日本語訳

1　ホワイト氏は見た目ほど若くない。（比較・原級）

2　私たちは上品でないとだめです。(be 動詞＋ to 不定詞・義務)

3　ケガをした人が収容所に運ばれた。(過去分詞)

4　君は私たちにそんなふうに話すべきでないと思う。(助動詞・ought to)

5　私は結婚を決めました。冗談でしょ。(get ＋過去分詞)(助動詞・must)

6　あなたの言う事はすべてディスクに録音されます。(接続詞・whatever)

⑦　私は彼と遊ぶ。将棋のやり方がわからない。(疑問詞＋ to 不定詞)

8　彼は離婚する。どうしたら彼に離婚をやめさせられるか？(get ＋過去分詞)(使役動詞・get)

9　このボタンはあなたを私たちのウェブサイトへ連れていきます。(無生物主語・lead)

10　これらのすべての PC が、インターネットにつながっていない。(全体否定)

学校１　例文４　英訳

1　Mr. White is not as young as he looks.

2　We are to be polite.

3　The injured person was carried to the asylum.

4　I don't think that you ought to talk to us like that.

5　I've decided to get married. You must be kidding.

6　Whatever you say will be recorded on the disk.

⑦　I play with him. I don't know how to play shogi.

8　He will get divorced. How can I get him to quit divorcing?

9　This button will lead you to our website.

10　None of these PCs are connected to the Internet.

学校２　例文４　日本語訳

1　この実験は４つの観点から調べられる。(受動態)
2　あなたは名前を呼ばれましたか？ (知覚動詞・hear)
3　私はこのレストランは豪華というより居心地がいいと感じる。(比較・比較級)
④　私にはこのスパナが合っている。このスパナが私の道具の中で一番役立っています。(S + V) (比較・最上級)
5　化石の骨には象の骨の100倍以上の大きいものがあった。(比較・比較級)
6　彼がそんな仕事を躊躇なく受け入れる事はないだろう。(it is less likely that 節)
7　彼はこれらの問題が解けるので天才にちがいない。(to 不定詞・副詞的用法)
8　彼女は法律家になるため、東京で一生懸命勉強している。(in order to 不定詞)
9　審査員はわかった、２人の出場者に優劣をつけることは難しいことは。(find it ＋形容詞＋ to 不定詞)
10　１万人以上のスリランカ人が地震で死んだ。(受動態)

学校２　例文４　英訳

1　These experiments will be examined from four points of view.
2　Did you hear your name called?
3　I feel that the restaurant is more cozy than luxurious.
④　I adapt to the wrench. This wrench is the most useful of all my tools.
5　Some of fossil bone were more than a hundred times larger than those of an elephant.
6　It is less likely that he readily accepts such a job.
7　He must be a genius to be able to solve these problems.
8　She studies hard in Tokyo in order to be a lawyer.
9　The judges found it difficult to decide between two contestants.

10　More than 10,000 Sri Lankans were killed in the earthquake.

友人　例文4　日本語訳

1　彼は家から出て行こうと試みた。(to 不定詞・形容詞的用法)
2　適合するドナーが見つかり次第、心臓移植が行われる。(接続詞・as～ as)
3　私の誕生パーティにぜひいらして下さい。(助動詞・must)
4　もし、あなたが100万ドル手に入ったら、何をしますか？（仮定法・過去)
5　土曜日にプリンターを直してもらった、幸運なことに。(使役動詞・have)
6　もし、私のコンピューターが動いたら、毎日テレビゲームをやるのに。(仮定法・過去)
7　私はこのサンドウィッチに4ドル50セント払った。(pay ＋金額＋ for ＋物)
8　もし傷害が起きていなければ、彼は65歳まで働いていただろう。(仮定法・過去完了)
⑨　鳥は地球の磁場を感知する。(S ＋ V ＋ O)
10　彼にとっては愚かだろう、しかし、彼を我々に加えたらどうか。(助動詞・would)

友人　例文4　英訳

1　He made an attempt to escape from home.
2　The heart transplant will take place as soon as a suitable donner can be found.
3　You must come to my birthday.
4　If you got a million dollars, what is the things you would do?
5　I had my printer repaired on Saturday fortunately.
6　If my computer worked, I could play video game every day.
7　I paid four dollars fifty cents for this sandwich.

8 If the injury had not happened, he would probably have continued to work until the age of sixty-five year.

⑨ Birds detect the magnetic field of the earth.

10 It would seem foolish to him, but what if he joins us.

会社　例文４　日本語訳

1 彼がいつでも入れるように鍵を渡しておこう。(so that 節)

2 むしろあなたにここにいてほしかった。(助動詞・would)

3 学校に行くのに１時間20分かかる。(it take ＋人＋時間＋ to 不定詞)

4 彼女はとても上手に歌うのでトレーニングをした事がないなんて信じられない。(so～ that 節)

5 彼は疲れすぎて働き続けられない。(too～ to 不定詞)

⑥ 君が手伝ってくれないので、一人でやる。(接続詞・since)

7 私たちは赤ん坊が初めて歩くのをじっと見ていた。(知覚動詞)

8 彼らはスミスをチームの主将に選んだ。(S ＋ V ＋ O ＋ C)

9 入ってもよろしいですか。(丁寧・might)

10 彼は世界で最も有名な芸術家の一人だ。(比較・最上級)

会社　例文４　英訳

1 I give him a key so that he can get in any time.

2 I would rather you stayed here.

3 It takes me one hour and twenty minutes to go to the school.

4 She sings so beautiful that I can’t believe she has had no training.

5 He was too exhausted to continue working.

⑥ Since you won’t help me, I do the job myself.

7 We watched our baby walk for the first time.

8 They elected Smith the captain of the team.

9 Might I come in?

10 He is one of the most famous artists in the world.

事故　例文4　日本語訳

1　券をお持ちの方は直接劇場にお入り下さい。（関係代名詞・主格）
2　たとえ雨が降ろうが雪が降ろうが、彼は自転車で駅まで行く。（接続詞・even if）
3　私たちが宇宙旅行を楽しめる時がじきにくる。（関係副詞・when）
④　私は彼におもちゃを捨てるように促した。私は、そのおもちゃの内、いくつかは見つからなかった、いくつかは見つかった。（代名詞）
5　ノーベル賞を受賞したという事と彼は日本人である事とは何の関係もない。（fact・同格の that 節）
6　この BOX をチェックしない限り、先に進めません。（接続詞・unless）
7　もし私が彼に反対投票したら、彼は辞職しなければならなかっただろう。（仮定法・過去完了）
8　どんなにたくさん食べても、彼は太らない。（接続詞・however）
9　私は、あなたが勧めたようにアドレスを変えた。（接続詞・as）
10　私を他の部屋で寝かせてくれればよかったのに。（仮定法・過去完了）

事故　例文4　英訳

1　People who already have tickets can go directly into the theater.
2　Even if it rains or snows, he goes to the railroad station by bicycle.
3　The time will soon come when we can enjoy space travel.
④　I urge him to discard toys. I can’t find some of those toys, and find any of those toys.
5　The fact that he won the Nobel Prize had nothing to do with the fact of his being Japanese.
6　Unless you check this box, you will not be allowed to proceed.
7　If I had voted against him, he would have had to resign.
8　However much he eats, he never gets fat.

9　I changed my address as you suggested.

10　I wish I had let me sleep in another room.

家族1　例文5　日本語訳

1　人々は、彼が3つの言語を流暢に話し、驚いた。(前置詞＋関係代名詞)

2　かつて地球上の至る所には火山があって、いつも噴火していた。(助動詞・used to)

③　彼女は私にそんな言葉を使うなと警告した。(warn ＋人＋ to 不定詞)

4　彼女は私にメアリーに会うように勧めた。(recommend to ＋人＋ that 節)

5　お互い助けることが必要だ。(it is ＋形容詞＋ to 不定詞)

6　私の叔母は私にこの仕事を申し込むように説得した。(persuade ＋人＋ to 不定詞)

7　私はジャネットよりもかなり働いているけど、彼女は私よりも給料がはるかに高い。(比較・比較級)

8　水はどれくらいの温度ですか？　会議はいつ始まりますか？ (疑問詞)

9　もし、あなたは部屋を掃除しなければいけないなら、今やったらどうなの。(if 節)

10　私は不安だ、彼がルールを守るほど賢いか。(I am 形容詞) (it is ＋形容詞＋ for ＋人＋ to 不定詞)

家族1　例文5　英訳

1　People was amused at the fluency with which he could speak three languages.

2　There used to be volcanoes all over the face of the earth, and they were always erupting.

③　She warned me not to use such a word.

4 She recommended to me that I should meet Mary.

5 It was necessary to cooperate with each other.

6 My aunt persuaded me to apply for the job.

7 I work much harder than Janet, but she is far highly paid.

8 How hot is the water? How soon will the meeting begin?

9 If you have to do your room clean, why don't you do it now.

10 I am anxious that it is clever for him to obey the rules.

家族２ 例文５ 日本語訳

1 彼は私を待っているらしい。（to 不定詞）

② 私は何をしようとも、だれも私に注意を払わなかった。（譲歩・no matter）

3 シミは取れなかった、メアリーは２回Ｔシャツを洗ったけれども。（譲歩・though）

4 彼女はほとんど欠点がない。（準否定・few）

5 どんな言い訳をしても彼は信じてもらえないだろう。（関係詞・譲歩）

6 患者は回復すべきだったのに、回復しなかった。（should have ＋過去分詞）

7 調理された食材は生の食材より栄養価が低いだろうか？（比較・比較級）

8 私は立ち去ろうとした時、彼らはまた議論をし始めた。（接続詞・when）

9 表紙がほつれている本を手渡して下さい。（関係代名詞・所有格）

10 昨日私たちは国会議事堂を見学したが、私は初めての場所だった。（関係代名詞・非制限用法）

家族２ 例文５ 英訳

1 He seems to be waiting for me.

② No matter what I do, no one paid any attention to me.

3 The stain won't come out though Mary washed the T-shirt twice.
4 She has few faults.
5 Whatever excuse he makes will not be believed.
6 The patient should have recovered, but he didn't.
7 Is cooked food less nutritious than raw food?
8 I was about to leave when they started to argue again.
9 Hand me the book whose cover is frayed.
10 Yesterday we visited the Capital, which I'd never been to before.

学校1　例文5　日本語訳

1 その雹はゴルフボールと同じくらい大きい。(比較・原級)
2 明日の朝までに宿題を終わらせなければならない。(be 動詞＋ to 不定詞・義務)
3 ジョンがこの事で不平を言っていたのは、一種の自己弁護だった。(現在分詞)
4 できるだけ早く行きます。(助動詞・can)
5 彼は肩をすくめて、「なぜ、隠さなければいけないの」(助動詞・must)
6 私が行く所ならどこでもついて来ていいよ。(接続詞・wherever)
7 我々は、大火事または大地震が起きた時に、どこに避難するか覚えておかないといけない。(疑問詞＋ to 不定詞)
8 バッグを２階に運ぶのを手伝って下さい。(使役動詞・help)
⑨ このバスはあなたを駅に連れて行く。(無生物主語・take)
10 このクラブはメンバーがあまりおらず、政治力はほとんどない。(部分否定)

学校1　例文5　英訳

1 The hail is as big as the golf ball.
2 You are to finish homework by tomorrow morning.
3 John's complaining about this was a form of self-justification.

4　We'll come as soon as we can.

5　He shrugged "why must you be secretive?"

6　You may follow me wherever I go.

7　We must remember where to take refuge in case a big fire or earthquake occurs.

8　Help me to carry the suitcase upstairs.

⑨　This bus takes you to the station.

10　This club has few members and almost no political power.

学校２　例文５　日本語訳

①　あなたは２つの手荷物は許されている。(受動態)

2　ジェイミーが部屋を出ていったのに誰も気づかなかった。(知覚動詞)

3　私は想像する、当時、砂糖は塩よりも、価値はなかった。(比較・比較級)

4　アマゾンは世界で一番大きい会社です。(比較・as～ as)

5　アメリカは日本の何倍の大きさですか？（比較・比較級)

6　残念だ、田中が我々の会議に参加できなくて、彼が同意するのは確実だ。(it is a pity that 節)

7　彼が話すのを聞けば、あなたは彼を外国人と思うでしょう。(to 不定詞・知覚動詞)

8　私は理解してもらうために詳細に説明した。(in order to 不定詞)

9　私は毎朝決まって６時に起きるようにしている。(make it a rule to 不定詞)

10　今、東京でモーターショーが開かれているところだ。(受動態)

学校２　例文５　英訳

①　You are permitted two-carryon item.

2　Nobody perceived Jamie going out of the room.

3　I imagine that sugar was less valuable than salt in those days.

4　No other company in the world is as big as Amazon.
5　How many times bigger is the US than Japan?
6　It is a pity that Tanaka could not join our meeting. It was certain whether he consent.
7　To hear him talk, you would take him for a foreigner.
8　I explained in detail in order to make myself understood.
9　I make it a rule to get up at six every morning.
10　The motor show is being held in Tokyo now.

友人　例文５　日本語訳

1　このシャツは物を入れるポケットがない。（to 不定詞・形容詞的用法）
2　私がテニスを始めて２年になる。（接続詞・since）
③　彼は彼の年齢を隠した。しかし、年寄りにちがいない。なぜなら髪が真っ白だから。（S ＋ V ＋ O）（助動詞・must）
4　もしインターネットが突然機能しなくなったら、悲惨な結果になるだろう。（仮定法・過去）
5　私はサッカーをやっている最中に、腕を折った。（使役動詞・have）
6　私は彼女を実の娘のように愛している。（仮定法・過去）
7　私は家を改築するのに694万円かかった。（it cost ＋人＋金額＋ to 不定詞）
8　もし、スミス氏が金持ちでなかったら、赤十字に100万ドル寄付できなかっただろう。（仮定法・過去完了）
9　卓也はユイの肩に手を回し、ぐいと引き寄せた。ユイは彼に体を預けた。（S ＋ V ＋ O ＋ C）
10　彼女はどうしても私の助言を聞こうとしなかった。（助動詞・would）

友人　例文5　英訳

1　This shirt has no pocket to put things in.

2　It has been two years since I took up tennis.

③　He conceals his age. But he must be very old for his hair is all white.

4　If the Internet were to suddenly stop functioning, the result could be catastrophic.

5　I had my arm broken while playing football.

6　I love her every bit as much as if she were my natural daughter.

7　It cost me 6,940,000 yen to have my house rebuilt.

8　If Mr. Smith were not very wealthy man, he would not have donated one million dollars to the Red Cross.

9　Takuya put an arm around Yui's shoulder and draw close. Yui let herself fall into his embrace.

10　She wouldn't listen to my advice.

会社　例文5　日本語訳

1　彼らは高く登れば登るほど、よい眺めを得た。（so that 節）

2　違法な事をするくらいなら、貧しいままがよい。（助動詞・would rather）

3　世間が彼の音楽を評価するのに長い時間がかかった。（it take ＋時間＋ to 不定詞）

4　私の母は1時前に寝ることはない。（準否定・seldom）

5　そのトンネルは私たちには狭すぎてUターンできない。（too～ to 不定詞）

⑥　体調が悪かったので、早く帰宅した。（接続詞・because）

7　私は上司が私の名前を読んだのを聞いた。（知覚動詞・hear）

8　彼は塀を白く塗った。（S ＋ V ＋ O ＋ C）

9　できるだけ早く返事をいただければ、ありがたいのですが。（丁寧・would）

10　ダチョウは世界で一番大きな鳥です。（比較・最上級）

会社　例文5　英訳

1　They climbed higher so that they got a better view.
2　I would rather remain poor than to do illegal things.
3　It took a long time to appreciate his music.
4　My mother seldom goes to bed before one o'clock.
5　The tunnel is too narrow for us to make a U-turn.
⑥　I went home because I was sick.
7　I hear my name called by my boss.
8　He painted the fence white.
9　I would appreciate it if you would write me as soon as possible.
10　The ostrich is the largest bird in the world.

事故　例文5　日本語訳

1　試験を受けようとする人は次週の月曜までに申し込まなければいけない。（関係代名詞・主格）
2　たとえそれがちょっと時代遅れだとしても、役に立つ案内書だ。（接続詞・even if）
③　あなたが不平をいう理由がない。（関係副詞・why）
4　牧師が少女に車に乗りませんかと言うと、少女はその申し入れを喜んで受け入れた。（S＋V＋O＋O）（受動態）
5　タバコを吸う人が少なくなっている証拠は、人々が健康への危険に気づき始めたという事だ。（proof・同格の that）
6　自分としては十分な頭金がない限り、その家を買う事はないだろう。（副詞）（接続詞・unless）
7　もし君の助けがなかったら、私はそれができなかっただろう。（仮定法・過去完了）
8　車を持っていなかったので、病院まで歩いていかなければならなかった。（接続詞・since）
9　裁判官が入廷するとき、みんな立ち上がった。（接続詞・as）
10　生まれてこなければよかった。（I wish・仮定法・過去）

事故　例文５　英訳

1　Anyone who wants to take the exam must apply before next Monday.

2　It is a useful guide, even if it is somewhat out of date.

③　There is no reason why you complain.

4　The priest offered the girl a ride and the offer was gladly accepted.

5　The proof that fewer people smoke suggest that they have begun to realize the health risks.

6　Personally I wouldn't buy that house unless I were prepared to spend a lot of money on down payment.

7　If it had not been for your help, I would not have been able to do this.

8　Since I didn't have a car, I have to walk to the hospital.

9　Everyone stood up as the judge entered the courtroom.

10　I wish I had never been born.

chapter 17

第17章　本番のための練習

79. 本番のための練習

ここからは友達との会話です。親、兄弟でも構いません。ネイティブなら、なおさらいいのですが、なかなかそういうわけにはいきません。

ここから先は、あなたが70個の基本例文を覚えている前提で進めます。それと、自習もある程度、やっていることを前提とします。

英語をマスターするためには、ひたすら英語で話すしかありません。しかし、やみくもに話をしても、効果は上がらず自己満足で終わってしまいます。

また、いきなり英語で話せと言われても、１つの単語以上の言葉を話すには、最低２、３カ月の練習期間が必要です。経験した人はいると思いますが、英検準１級レベルの人でも、話す機会がなければ、まったくしゃべれません。知っている単語が3000個以上ある人でも、しゃべる機会がなければ、幼児の「あれほしい」、「ご飯食べる」と同じレベルです。そのため英語を使う機会を強引に作らなくてはいけません。

あなたは英作文を作り、それを覚え、それを相手に話し、また、相手が話した事をしっかり聞き取り、相手の言った事を復唱します。当たり前の普通の会話ですが、これをやるしか方法はありません。最初は there are as many as 1532 students の1532の数字を1300に変えるだけでも構いません。同じ文でも構いません。だめなのは、黙っている事です。せっかく英語を使う機会を得ているわけですから、たくさんしゃべりましょう。

やり方を説明します。

大切なのは予習です。今日は日曜日とします。明日は月曜日ですので、月曜日の「家族１」の例文を話せるようになっていないといけません。

基本例文の訳の文章の（　）に入っているのが「お題」です。「家族1」の1の「お題」は（前置詞＋関係代名詞）です。あなたは基本例文を基本とし、その「お題」が使われている文を最低3つ考え、当日、暗唱できるようになって下さい。基本例文の house を shop に変えるだけでもいいです。わからなければ、**76「基本例文の置き換え」**を参照して下さい。もちろん、自習の時に作った文章でも構いません。しかし、本番は、何も物を見ないで、話せるようにして下さい。そうしないと、当日はただ文章を読んだだけになります。書いてある文を見なければ、自分の頭で考えて文を作ります。それが大事なのです。

あと、2人で練習している間は、絶対に日本語を使ってはいけません。せっかく英語で考えて、話をしているのに、日本語を使うのはもったいないです。

This is the shop in which I was born and grow up.

「お題」は前置詞＋関係代名詞です。

「お題」を1から10までで、各3個準備して下さい。当日は、準備した文を見ないで言えるようになって下さい。

当日です。友達と先攻、後攻を決めます。あなたが先攻になりました。昨日、覚えた、

“This is the shop in which I was born and grow up.”

と暗唱します。しかし、友達は聞き取れなかったので、友達は、

“Say it again.”

と言います。

もう一回、言っても友達は聞き取れません。友達は、

“I don’t understand what you say.”

と言います。

あなたは再度、暗唱します。

友達は、今度は聞き取れました。友達が暗唱します。最後に2人そろって暗唱します。

次は友達の番です。友達は、
“That was the warehouse in which meat are stocking.”
あなたは友達の言った事が聞き取れたので、すぐ暗唱しました。そして、２人で暗唱しました。これで「家族１」の１は終わりです。

次は「家族１」の２です。題目は（助動詞・used to）です。
あなたは昨晩用意していた。
“My father used to go shopping with his wife.”
と言いました。
友達は、聞き取れたので、すぐ、この文章を復唱しました。
正しく、復唱したので、今度は２人一緒に復唱しました。
これを「家族１」から10までやります。仮に相手が“Say it again.”と言ったら、すぐ教えてあげて下さい。
10までいったら、また「家族１」の１から始めて下さい。勉強の進行次第では、別に「家族２」をやっても構いません。
決して３人以上ではやらないで下さい。
相手と自分だけにしないと時間がもったいないです。
いきなり文を作れと言われても、難しいのですが、基本例文を覚えたあなたならやれると思うし、置き換えを参考にすれば、「お題」は必ずできると思います。
自分が作った文はできる限り暗記して下さい。友達と話す時、その文が出なければペナルティです。ペナルティも英語でやって下さい。例えば『イエスタデイ』を一小節歌うとか。
もし、あなたや、相手が作ってきた文が、長すぎて聞き取れない、知らない単語を使っていた場合は、すぐそれを教えられるように、暗記した文をノートにあらかじめ書いておきましょう。

参考文献

- 『ロイヤル英文法』綿貫陽 / 宮川幸久 / 須貝猛敏 / 高松尚弘　旺文社
- 『表現のための実践ロイヤル英文法』綿貫陽 / マーク・ピーターセン　旺文社
- 『クラウン総合英語第３版』霜崎實　三省堂
- 『ビジョン・クエスト総合英語』野村恵造　新興出版社啓林館
- 『基礎からの新総合英語』高橋潔 / 根岸雅史　数研出版
- 『世界一わかりやすい英文法の授業』関正生　中経出版
- 『動詞キャラ図鑑』関正生 / 煙草谷大地　新星出版社
- 『ハートで感じる英文法』大西泰斗 / ポール・マクベイ　NHK 出版
- 『６つの動詞で英会話がペラペラ』西村喜久　扶桑社
- 『英語が１週間でイヤになるほどわかってしまう本』西村喜久　明日香出版社
- 『中学英語の基本が１週間でイヤになるほどわかる本』西村喜久　明日香出版社
- 『今までにない前置詞講義』西村喜久　プレイス
- 『GET！　英文法』西村喜久　明日香出版社
- 『謎解きの英文法　助動詞』久野暲 / 高見健一　くろしお出版
- 『ロングマンワードワイズ英英辞典』ピアソン・エデュケーション

[テレビ]

- CNN/CNN ニュースルーム　グローバル・ブリーフ　ニューデイ

おわりに

この本を手にして、読んだ人はラッキーです。

なぜなら、この本は今まで英語について、納得のいかなかった多くの疑問を解決できたからです。

仮定法の場合、主語がIにもかかわらず、be動詞がwereになる理由は、わかったと思います。また、前置詞のforが接続詞になった時、どう使われるかなど。

基本例文が自分のものになって、英語に疑問点がなく、動詞の25活用ができるようになれば、英語そのものを理解した事に近づいたと思います。

今から、10年ほど前の事です。私が年末、帰省した時の事です。

当時、実家には、両親がおらず、兄の家に帰省する形になり、兄の家に帰った時でした。ちょうど兄夫婦は、在宅しておらず、兄の子供、つまり、甥が、一人で家にいました。

私が兄の家に上がったら、なにやら、もじもじしながら、私にこう話しかけました。

「いつ、こちらに帰られたのですか？」

甥が、敬語で私に話しかけてきました。

私はしまったと思いました。というのも、私は、甥とは小さい時、遊んであげた覚えがなく、少し疎遠でした。

甥の態度を見て、私は理解しました。私とどう接したらよいのか、わからない様子だったので、とりあえず、様子見で、私に敬語で話しかけてきたのです。

私は彼に言いました。

「敬語なんか使うなよ、おれ、おじさんだよ」

そうすると、彼は、方言で、
「いつまで、おると？」と聞きました。

日本語は相手との上下関係がはっきりしないと成立しないことを身につまされました。

ニューヨークの地下鉄の車内では、知らない者同士や若者と老人が気軽に話を始めます。英語には敬語がないから、知らない者同士でもすぐに話を始められます。

英語は伝えたい事を伝えるための言語です。あなたが英語を理解できたなら、必ず、話せるようになります。なぜなら、もう疑問がないからです。後は、自分の弱い所を少しずつ補っていけば、必ず道は開けます。

この本に書かれている事は、学校では教えられていません。読まなければ一生誰にも教えられる事はなかったでしょう。それは最後まで読んだあなたなら、わかると思います。

あなたはゴールに立ちました。さあ、後ろを振り返って下さい。yes I can と I could do that をあなたは使い分ける事ができます。最後まで読んだ人は、ここがゴールではない、ここがスタート地点だという事に気が付くでしょう。覚えている単語が少ないと思った人は単語をたくさん覚えて、基本例文に置き換えればいいし、ヒアリングがダメなら、聞こえない単語を基本例文に置き換え毎日暗唱する。あなたが足りない部分を補おうと思っているとすれば、本当のゴールは見えてきます。

あなたはこの本を読んだから、疑問を疑問のまま、そのままにしておくのではなく、本質的な意味を追求する態度に変わると思います。決して、一つの単語にたくさんの意味を覚えるような事はもうしないでしょう。

私は、あなたがこの本で生まれ変わる事を信じています。言葉には、人を変える力があると信じています。

あなたは変われる才能もあるし、勇気もあると信じています。

あなたの発展を信じています。

田中　潤（たなか　じゅん）

1964年生まれ。福岡県出身。明治大学法学部卒業。現在、金属関連メーカー勤務。今回、二人の娘に教えた内容を本として出版する。

反逆の英文法

2023年 8 月10日　初版第 1 刷発行

著　　者　田中　潤
発 行 者　中田典昭
発 行 所　東京図書出版
発行発売　株式会社 リフレ出版
〒112-0001　東京都文京区白山 5-4-1-2F
電話 (03)6772-7906　FAX 0120-41-8080
印　　刷　株式会社 ブレイン

ISBN978-4-86641-655-7 C0082
Printed in Japan 2023